# VOOR WOORD

Wie had dat gedacht? De Koninklijke HFC, de voetbalclub van kakkineus Haarlem, is helemaal zo oud niet als de heren zelf beweren. Volgens de gentlemen en hun website zou hun club zijn opgericht in 1879. Nou, daarvan blijkt bijzonder weinig in deze sterk bijgepunte, eerste volledige ontstaansgeschiedenis van het Nederlandse voetbal. Die geschiedenis loopt parallel aan die van het cricket, dat al eerder werd geïmporteerd door, ofwel Engelse zakenmensen, of leraren aan op Engelse leest gestoelde kostscholen. Nederlandse zonen van welgestelde families die in Engeland naar school gingen, kwamen daar in aanraking met het voetbal. Omdat de boer die 's zomers zijn weiland aan cricketers verhuurde dat 's winters graag aan voetballers deed, liep de ontwikkeling van beide sporten ook topografisch hand in hand. HFC heeft iets uit te leggen. Misschien is de club wel opgericht in 1882, maar echt gevoetbald werd er pas een paar jaar later. In een tijd dat 'ja, maar toen was ik nog niet geboren' en 'geschiedenis is ook maar een mening' als rationele argumenten worden beschouwd, zijn wij blij met het prachtige, zorgvuldige werk hier geleverd door Jan Luitzen en Wim Zonneveld.

**Henk Spaan, Matthijs van Nieuwkerk, Hugo Borst**

foto: Carli Hermes

**Redactie:**
Hugo Borst
Matthijs van Nieuwkerk
Henk Spaan

**Assistentie:**
Simon Dikker Hupkes
Esther Mourits
Janneke van der Horst
p/a Weesperstraat 105A
1018 VN  Amsterdam
redactie@hardgras.nl
*www.hardgras.nl*

**Eindredactie:**
Zeger van Herwaarden
Frank van Kolfschooten

**Basis ontwerp:**
Jaap Biemans
Overburen (Joost en Maarten)

**Vormgeving:**
Maarten Geurink
Ayla Maagdenberg
Joost Overbeek

**Cartoons:**
Gerrit de Jager

**Omslag:**
Geïnspireerd door de covertekening van: Mulier, W.
Athletiek en Voetbal. Haarlem. De Erven Lootjes, 1894.

**Marketing:**
Anne Broekman
p/a Weesperstraat 105A
1018 VN  Amsterdam
Telefoon: 020-524 54 11
E-mail: abroekman@amboanthos.nl

**Abonnementen:**
Jaarabonnement (6 nummers) € 49,95
Voor opgave en wijzigingen:
Hard gras Abonneeservice
Postbus 105
2400 AC  Alphen aan den Rijn
Telefoon: 0172 47 60 85
E-mail: hardgras@spabonneeservice.nl

ISBN 978-90-263-3882-3

# KICKSEN EN WICKETS

## Van cricket naar voetbal in Nederland 1845-1888

Jan Luitzen en Wim Zonneveld

# INLEIDING

Op 13 januari 1878 plaatst de 17-jarige Edmond Insinger, leerling aan het jongensinternaat Noorthey in Veur bij Voorschoten, een berichtje in het *Noortheysch Nieuwsblad,* de handgeschreven en door leerlingen zelf samengestelde schoolkrant: 'Mijnheer Kramers zou ons zeer veel genoegen doen wanneer hij ons vier palen wilde geven om aan het einde van den baan te zetten, want daar wij de bal niet over de hoofden der jongens mogen trappen is er nog al eens oneenigheid. Daar de eene zegt de bal is niet over het hoofd van Wolterbeek gegaan en de ander zegt dat hij over het hoofd [van] de Graaf is gegaan en wanneer wij nu op een zekere hoogte een touw kunnen spannen zou dat voor goed uit zijn.'[1]
Tot dan toe is op Noorthey cricket de gebruikelijke 'uitspanning', maar dit gaat over *football*, een nieuwe veldsport die een aantal weken eerder op de kostschool is geïntroduceerd en bij de jongens razend populair wordt. Of, zoals Edmond schrijft: *football* is 'aan de orde van de dag'.

Voetbal in Nederland dus, al in 1877-1878. Het gegeven dook op bij onderzoek in het Nationaal Archief in Den Haag, en roept wat betreft de Nederlandse voetbalgeschiedenis meteen allerlei vragen op. Over de Haarlemsche Football Club, de Koninklijke H.F.C., die bekendstaat als de oudste voetbalclub van Nederland. Over de sportpropagandist Pim Mulier die H.F.C. toch in 1879 heeft opgericht. Over de overgang van rugby naar 'association'-voetbal, *soccer*, in de Nederlandse sportoertijd.
Geconfronteerd met de Noorthey-gegevens besloten we de geschiedenis van het vroege voetbal in Nederland te reconstrueren, hoe het een op het ander past. Niet alleen voor voetbal, maar gedeeltelijk ook voor cricket, waarin het Nederlandse voetbal geworteld is. We zijn overigens niet de eersten om dat te beweren, maar de details hiervan waren nog niet uitgewerkt.
Waar we dolgraag over zouden hebben beschikt, is het persoonlijk archief van Willem Johan Herman 'Pim' Mulier (1865 Witmarsum – 1954 Den Haag), de Haarlemse sportpionier, de man die in elk geval naar eigen zeggen zo ongeveer overal bij lijkt te zijn geweest. Maar: noch bij de stukken van H.F.C. in het Noord-Hollands Archief noch bij de archiefopslag van de club aan de Spanjaardslaan in Haarlem is dat te vinden. Terwijl het er ooit echt is geweest. Dat weten we van de latere voorzitter Karel Lotsy, die in de 'Inleiding' van het

Een van de oudste overgebleven voetbalactie-foto's in Nederland, genomen tussen 1895-1897 bij het instituut Noorthey in Voorschoten. Bron: Nationaal Archief[2] 's-Gravenhage, Archief Noorthey-Genootschap ca. 1820-1984 [3.22.14] , inv. nr. filenummer 618.[3]

*Gedenkboek H.F.C. 1919* meedeelt dat hij erevoorzitter Mulier voor het schrijven van een jubileumartikel zo ver wist te krijgen om 'in den Haag zijn stoffig H.F.C.-archief weer eens voor den dag te halen'.[4] Uit de zorgvuldige nummering en catalogisering van Muliers immense glascollectie, in 1954 overgedragen aan het Gemeentemuseum in Den Haag, en zijn genealogisch archief, ondergebracht bij het Centraal Bureau voor Genealogie in Den Haag, concludeerde Muliers biograaf Daniël Rewijk ook dat hij een 'maniakaal archivaris' van zijn eigen materiaal moet zijn geweest.[5]
Volgens Hugo Bettink, oud-clubvoorzitter en nu lid van de archief-commissie, is er na het 'afzetten' in 1939 van Mulier als erevoorzitter ten gunste van de toen veel invloedrijkere Karel Lotsy een sterke verwijdering tussen Mulier en H.F.C. opgetreden. 'Er zijn helaas geen notulen van, maar van een H.F.C.'er die bij de betreffende vergadering in 1939 was, heb ik gehoord dat Pim het verschrikkelijk vond dat Lotsy die positie verwierf. De toenmalige archiefcommissie had toen niet meer de band om de overdracht van Muliers persoonlijke archief naar H.F.C. bespreekbaar te maken.'[6] De archiefcommissie van H.F.C. is er naarstig naar op zoek geweest, tot in Muliers geboorteplaats

Witmarsum aan toe, aldus Bettink. Navraag bij Muliers nog levende
naaste bloedverwanten, binnen de families Haitsma Mulier en Van
Limburg Stirum, leverde op dat zij alleen nog beschikken over enige
memorabilia, zoals een portretschilderij van Mulier, enkele items uit
zijn glasverzameling en een uniek boek met 47 tekeningen van zijn
hand van een schaatstocht met vrienden in januari 1885.[7] En: archief-
stukken van Atletiekvereniging Suomi, waarvan Mulier beschermheer
was.[8] Maar Pim Muliers persoonlijke sportarchief is verdwenen.
Nico van Horn, de eerste sporthistoricus die de vroegste wandel-
gangen van Pim Mulier kritisch is nagegaan, neemt aan dat na zijn
overlijden in 1954 documenten bij sportbonden zijn ondergebracht,
maar hij vermoedt ook dat het gedeelte daarvan dat betrekking had
op de vroegste Haarlemse sportgeschiedenis, de cruciale periode van
vóór 1890, werd ondergebracht bij Pieter Cornelis 'Piet' van Houten,
de toenmalige voorzitter van H.F.C., waarna 'een kleine verwoestende
brand voor rampzalige resultaten zorgde'.[9]
Het materiaal waarmee we hebben gewerkt, bleek uiteindelijk een
uitdaging. Al zoekend en spittend hebben we reeksen bronnen met
elkaar gecombineerd. Mulier heeft talloze publicaties op zijn naam
die ingaan, of mede ingaan, op de vroegste Nederlandse sportgeschiedenis. Daaronder een indrukwekkende trilogie, geschreven
binnen vijf jaar: *Wintersport* (1893), *Athletiek en Voetbal* (1894) en
*Cricket* (1897), uitgegeven door Loosjes in Haarlem. Bij gedetailleerd
lezen ontpopte dit werk zich ook geregeld tot een bron van ergernis:
verkeerd gespelde namen, net of helemaal niet kloppende data en, iets
wat steeds meer tot Nederlandse sporthistorici begint door te dringen:
Muliers verborgen agenda.
We moesten het ermee doen. Muliers geschriften hebben we
gecombineerd met informatie uit zes andere bronnen: de onvolprezen
gedenk- en jubileumboeken van Nederlandse sportverenigingen
(die hoognodig gedigitaliseerd moeten worden, allemaal!), 'sportalmanakken' uit de jaren tachtig en negentig van de negentiende eeuw,
die een zeer belangrijke bron van informatie zijn voor jaartallen en
structuur- en bestuursinformatie van vroege Nederlandse sportclubs,
het uitgebreide online archief van Nederlandse kranten en tijdschrif-
ten op Delpher, archieven van gemeentes en andere overheden en
instellingen, waarin soms zomaar een schat bleek te schuilen, de
digitale bibliotheek van Jan Luitzen, bestaande uit meer dan achttien-
duizend sportnaslagwerken en sporttijdschriften, en online alles dat
relevant leek te zijn.
We hopen, en vermoeden, dat de uitkomsten van onze zoektocht
interessant zijn, en zelfs tamelijk verbijsterend. We danken de redactie
van *Hard gras* dat zij ons de gelegenheid biedt ze te presenteren en
voor het vertrouwen dat zij heeft gesteld in onze aanpak.

# I
# DE BAL NIET OVER DE HOOFDEN TRAPPEN

## Hoe Engelse veldsport op de kostscholen van De Raadt en Schreuders terechtkomt

### Voetbal op Noorthey

Midden negentiende eeuw is 'Noorthey' een protestants-christelijke onderwijsinstelling waar jongens uit de Nederlandse elite klaar-gestoomd worden voor hogere vervolgstudies en maatschappelijke carrières.[10] De kostschool heeft een voor die tijd progressief onderwijs-concept: klassikale lessen worden afgewisseld met fysieke inspanning, namelijk vanuit Engeland geïmporteerde balsporten buiten op het veld. Vanaf 1845 levert cricket er zo'n dertig jaar het gewenste fysieke plezier. Maar dan, begin december 1877, schrijft John Joseph Helsdon Rix (1857-1918), een twintigjarige pas gearriveerde docent Engels, een ingezonden brief in de schoolkrant. Daarin legt hij uit wat voetbal onderscheidt van rugby. Het is een Engelstalig document van groot Nederlands sporthistorisch belang, waarvan we de complete tekst hieronder weergeven.[11]

### Hockey & Football

Before giving you a description of the above games I must thank you for the welcome accorded me to Noortheij. I hope that my stay may be long and beneficially to each one.

English Hockey is for the most part like the Noortheij game. It is played in a wide space with at each end two posts, bushes, trees or sometimes coats about 12 yds apart.

Through these the ball has to be driven before a game is won if driven on either side of the goal it must be brought back and another trial made to get it through. As here thick bent stick are used & often the players get up sharp disputes & so on to angry words.

Football a more favourite game is at this season of year played very intensively in England. There are two kinds of Football – Association & Rugby, in the 1st the hands are not permitted to touch the ball, in the other anything is allowed to get the ball through the goal post. It is played on a green meadow the space chosen being 200 yds long and 50 yds wide. Two posts 10 feet high are stuck in the ground at each end. A tape joins the tops of the poles together & in the 1st or Association game the ball has to be kicked under the tape, in the second Rugby kicked over the tape. The balls are as big as anyones head but there is a particular shaped ball for each game. The Rugby ball is oval like an egg the Association perfectly round. They consist of indie rubber balls filled with air and protected by a leather case.

Each party consists of 15 players, six to play to the front, four a few yards back & the rest to keep goal or stop the ball from passing the posts. In the Rugby game the ball is often picked up & run with while the opposite party do their best to stop the runner. When stopped each party put their heads & shoulders down & push one against the other, the ball is placed in the middle & each party does it best to drive the ball before them. If it gets out of the group of players it is again kicked or run with.

In hockey & Football two clubs often meet & play games one club against the other. The party who drive the ball most times between the goal posts win.

In co[n]cluding I must say I shall often have great pleasure in playing Hockey with you & I hope Football too.

J.J. H[elsdon] Rix

John Joseph Helsdon Rix (1857-1918) wordt met de achternaam Helsdon geboren in Mutford bij Lowestoft in het graafschap Suffolk, aan de Engelse oostkust.[12] Deze naam wordt vermeld in alle formele documenten, zoals geboorte-, huwelijks- en overlijdenscertificaten. Hij groeit op bij George R. Rix en Jane Kerry Rix, beheerders van de 'British School' in Somerleyton, net buiten Lowestoft. Hier gaat hij zich Helsdon Rix noemen, en zo solliciteert hij in 1877 ook op een baan in Nederland.[13]

Een week na het verschijnen van Rix' brief wordt aangekondigd dat 1878 iets nieuws zal brengen, namelijk 'het football, het spel in Engeland waartoe de heer Rix ons verleden zondag in de courant heeft aangespoord'. Directeur Kramers heeft dan al een bal besteld,[14] waar precies is jammer genoeg niet te achterhalen. En inderdaad: op 13 januari kan Edmond Insinger zijn enthousiaste stukje schrijven. Zoals Rix het weergeeft, spelen de jongens met geïmproviseerde doelpalen, en de kruinen van keepers Daan Wolterbeek en Fred van de Graaff gelden als hoogtes van imaginaire doellatten.[15] Dat trappen boven kruinhoogte niet mag, impliceert dat er, volgens het door Rix uitgelegde verschil, 'association' wordt gespeeld en niet 'rugby'. Op dat moment bestaat dat verschil in Engeland nog niet eens zo lang.

John Joseph Helsdon Rix op Noorthey, circa 1878. Bron: NA32214.

Clubs spelen lange tijd van alles door elkaar met een bal, spelers en doelen, totdat eind 1863 er in Londen een stel bij elkaar komt om het spel te reguleren. Maar meerdere bijeenkomsten leiden niet tot eensgezindheid op twee belangrijke onderdelen: wanneer en hoe de bal met de handen mag worden aangeraakt ('handling'), en het al of niet toestaan van het flink schoppen tegen andermans schenen ('hacking'). De principiële tweespalt leidt tot de oprichting van de Football Association (weinig *handling*, geen *hacking*), terwijl de rest zich in 1871 verbindt tot de Rugby Football Union.
Beide varianten doorlopen hierna hun eigen ontwikkeling. In het geval van 'association', afgekort 'soccer', ontstaat meer uniformiteit door de wedstrijden om de FA Cup en de eerste 'interland' tussen Engeland en Schotland in 1872, slechts zes jaar voor Rix' brief, met daarbij vanaf 1888 ook de 'league', de echte competitie.

In de onderlinge wedstrijdjes op Noorthey doen geregeld docenten mee en de leerlingen appreciëren dit. Leerling Frans van Es schrijft in het instituutsblad in januari 1878 dat er de vorige dag iets is gebeurd 'dat wel een wonder mag heeten'. Docent Hans Heinrich Rühl heeft voetbal meegespeeld 'dat wel slecht bekroond is'. Eerst viel hij over de bal en daarna kreeg hij de bal tegen zijn bril, zodat de glazen er uitvielen. Een komische vertoning, veroorzaakt door onwennigheid met het spel, maar Van Es spreekt nadrukkelijk zijn lof uit voor Rühl en hoopt dat mijnheer nog dikwijls zal meespelen, dan 'zal men ook soms een goede partij hebben'.[16] Pim Mulier formuleert het later treffend: 'Er komt gevoel van solidariteit in zoo'n Instituut, men speelt voor z'n school, men hecht zich aan zoo'n inrichting waar de dorre lesuren op zulk een kameraadschappelijke en gezonde manier worden afgewisseld.'[17]

Noorthey wordt in juni 1882 in verband met de zelfmoord van een van de leerlingen gesloten,[18] maar tot dan wordt er door de instituutsleden tijdens de pauzes en op vrije middagen onderling fanatiek gevoetbald.

**Vroeg cricket op Noorthey**

Voetbal is niet de eerste op Noorthey geïmporteerde Engelse veldsport. Ergens tussen 1845 en 1848 al slaan Noortheyenaars onder aanvoering van een Engelsman, die als *native speaker* taalles geeft, voor het eerst tegen een cricketbal. Maar wat betekent 'ergens tussen 1845 en 1848'?

We gaan hiervoor te rade bij Mulier. Hij schrijft in *Cricket* (1897) dat het begin van deze sport in Nederland ligt op een kostschool en dat hij daarover heeft gesproken met jonkheer H. van Loon, oud-leerling van Noorthey, die 'zich herinnert van 1842 tot 1849 aldaar te zijn geweest en tevens dat er bij zijn aankomst aldaar nog niet gespeeld werd, wel echter in 1845'. Mulier noemt vervolgens namen: 'Onder de eerste beoefenaars van het spel behoorden de Heeren: J. H. Loopuyt, J.P. Havelaar, W. Borski, J. Smith, R. Smith, P.B. Wilkens, J.H. graaf van Rechteren, Jhr. W.K. Huydecoper, die sinds dien tijd allen zijn overleden, even als de Heer J.G. Sillem, zoodat op het oogenblik van de genoemde Heeren alleen de Heer Jhr. H. van Loon nog in leven is. De genoemden waren allen ijverige beoefenaars van het spel.'[19]

De gedetailleerde namenlijst doet vermoeden dat Mulier ze precies heeft nagezocht. De periode dat *al deze* eerste cricketbeoefenaars op Noorthey als leerlingen aanwezig zijn, is tussen augustus 1845 en augustus 1846.[20]

En Mulier heeft er nóg een oud-leerling naar gevraagd, Otto Frederic baron Groeninx van Zoelen: toen deze heer 'in 1848 te Noorthey kwam, was het primitieve spel reeds "vrij versleten" en hadden verscheidene leerlingen eigen bats aangeschaft'.

In het door Mulier opgesomde gezelschap bevinden zich twee broers uit een Schotse handelsfamilie uit Rotterdam. Richard Smith zit van 10 augustus 1844 tot augustus 1846 op Noorthey en zijn twee jaar jongere broer James van 4 augustus 1845 tot 22 december 1848; er verblijft zelfs nog een derde broer, William, van 4 augustus 1845 tot 24 december 1846.[21] Daaruit ontwikkelt Mulier een theorie: 'Uit het bovenstaande waag ik het de gevolgtrekking te maken, dat de ouders

'Hard bowlen'. Tekening door Pim Mulier, in: Cricket, 38a.

van die Heeren Smith allicht den eigenaar hebben aangeraden de jongelui te doen cricketspelen en uit het feit, dat men in 48 reeds eigen spullen had, besluit ik, dat het spel in den smaak was gevallen en burgerrecht had weten te verkrijgen.'[22]

De meest recente bespreking van deze passage uit *Cricket* is die van Nico van Horn in 'Terug naar school!' uit 2004, die een aflevering van het Engelse tijdschrift *The Educational Times* van 1 november 1848 gebruikt om Muliers beginjaar van 1845 voor cricket op Noorthey in twijfel te trekken. Hij vond daarin een beschrijving van sport op Noorthey: 'A huge piece of ground, immediately fronting the school premises, is used as a play-ground. Here there are all kinds of gymnastic machinery, and a master of much gymnastic agility, to keep the game alive. *The English master lately introduced* the healthy English game of *cricket* amongst the pupils of Noorthey, who engage in it with much delight'.[23] Van Horn citeert, om precies te zijn, alleen het door ons gecursiveerde gedeelte. Met name uit het publicatiejaar 1848 van het artikel trekt Van Horn dan een conclusie: 'Leraar Engels in die jaren was [de dan 21-jarige] G.W. Atkinson uit Barnsley die tussen 1847 en 1851 Engelse les gaf. Hij moet dus degene zijn geweest die de sport op de school heeft binnengebracht. We kunnen nu vaststellen dat in het schooljaar 1847-1848 cricket in Nederland is begonnen op de kostschool Noorthey.'[24]

Van Horn gaat niet in op Muliers leerlingenlijst en verwart diens genoemde jaartallen, als hij schrijft: 'Een oud-leerling die vanaf 1842 op Noorthey als leerling zat, wist zich in de jaren tachtig te herinneren, dat er in 1842 nog niet werd gecricket, en in 1849 wel.' Van Loon, over wie het hier gaat, verliet Noorthey weliswaar in 1849, maar herinnerde zich volgens Mulier cricket aldaar al van 1845.

Van Horn omarmt Muliers theorie over de rol van Engelse leerlingen daarbij, zij het aangepast aan de latere periode: '(…) G.W. Atkinson. Afgaande op berichten uit 1850 zou hij dit mede hebben gedaan op aandrang van enkele Engelse leerlingen.' Van Horn doelt hiermee vrijwel zeker op een passage uit het *Gedenkboek Noorthey* van 1920, van de hand van oud-leerling Charles Enschedé: 'Sedert omstreeks 1850 was door de Engelsche leerlingen, daartoe geholpen door den Engelschen docent Atwell, de Engelsche spelen, cricket, hockey destijds gandi genaamd, en football ingevoerd, en zij die die spelen beoefenen, kunnen zich indenken hoeveel dwang er toe noodig was om jonge-lieden van 10 tot 15 jaar het genot van die spelen deelachtig te doen worden. Maar dank zij de Raadts systeem werden zij het deelachtig en jaren lang hebben die spelen er toe mede gewerkt den frisschen geest op Noorthey te bewaren.' 'De Raadt's systeem' verwijst naar de filosofie van Noorthey-oprichter en toenmalig directeur dr. Petrus de Raadt om inhoudsvakken vruchtbaar te combineren met fysieke activiteiten – intellectuele kennis en vaardigheden met spel en sport.

Enschedé's herinneringen worden opgeschreven in 1920 en zijn geen 'berichten uit 1850', zoals Van Horn stelt. Enschedé verbleef op Noorthey van 1868 tot 1874 en zijn beschrijving van de sport-introductie op de school is schetsmatig en moet 'van horen zeggen' zijn. Hij vergist zich door de naamsovereenkomst tussen de leraren Atkinson en Atwell, van wie de tweede pas op Noorthey werkte van 1854 tot 1858,[25] jaartallen die botsen met Van Horns Engelse leraar uit 1848. Bovendien zitten er op Noorthey in de periode 1854-1858 niet 'Engelsche leerlingen', zoals meerdere Smiths, maar slechts één, of eigenlijk een halve: John Francis Loudon, in 1844 geboren in Djokjakarta in Nederlands-Indië als zoon van een Engelse vader en een Nederlandse moeder, is tussen 1853 en 1857 leerling op het instituut. We concluderen dat 1845 voor het begin van cricket op Noorthey strookt met het artikel in *The Educational Times*, waarvan de schrijver met *lately* 'nog niet zo lang geleden' bedoelt. Hem is wel verteld dat een 'English master' cricket heeft geïntroduceerd, maar niet wie dat was. De kandidaat bij uitstek daarvoor is Frederick Martin Cowan, geboren op 24 juli 1822 in Londen, als jonge leraar aangekomen in 1840, en dus net 23 jaar in de zomer van 1845.[26] Deze Londenaar, die – het kan haast niet anders – zelf cricket speelde, introduceert de sport op Noorthey en hij profiteert daarbij van het enthousiasme van 'the Smiths'.

Dit Noorthey-muisje heeft een interessant staartje als in mei 1848 in het *Algemeen Handelsblad* een oproep verschijnt: 'Cricket. The

members of the Rotterdam Cricket Club having heard of there
also being a Cricket Club in Amsterdam, are desirous to make
their acquaintance. Letters may be addressed to the *Secretary of
Paxintrantibus* near Rotterdam.'[27]

*Pax Intrantibus* is rond deze tijd een grote buitenplaats aan de
Bergweg, de landelijke noordelijke verbinding vanuit Rotterdam
via Hilligersberg naar Bergschenhoek. Naast het buiten bevond
zich een groot evenemententerrein (het 'Tivoli der gegoede
Rotterdammenaren'[28]) voor sport en spel, ballonvaarten en circussen.
De Engelstalige oproep kan in een Noorthey-perspectief worden
geplaatst: de gebroeders Smith, die vlak hiervoor van de kostschool
zijn afgezwaaid, willen in Rotterdam cricket-activiteiten opzetten.
Ze hebben gehoord van cricket in Amsterdam dat – ze weten het of
ze weten het niet – wordt geleid, of is geënthousiasmeerd, door hun
oud-docent Cowan, die in 1846 is vertrokken naar de Amsterdamse
Latijnsche School; deze werd op dat moment omgevormd tot een
gymnasium, met moderne talen in het nieuwe curriculum. Voor zover
na te gaan heeft de oproep geen vervolg gehad, vermoedelijk omdat
in Rotterdam maatschappelijke carrières in de handel toch voor-
rang krijgen. En in Amsterdam heeft Cowan een stuk minder relaxed
bestaan: hij heeft een drukke nieuwe onderwijsbaan en trouwt in 1847
met de Leidse Gesina Louisa Wilhelmina Hazenberg, met wie hij in
hoog tempo zes kinderen krijgt, hetgeen vast veel huiselijke aandacht
opeist.[29]

### Het Sterrenbosch

Voor zijn overzicht van het vroege Nederlandse cricket doet Mulier
niet alleen onderzoek naar Noorthey, maar ook in Utrecht: 'Uit de
archieven van het Utrechtse studentencorps heb ik de bevestiging
mogen opdiepen, dat er in het jaar 1856 aldaar door studenten cricket
was gespeeld, een feit, dat ik in de eerste jaargangen der Ned. Sport
vermeld vond. Die studenten waren voornamelijk Kapenaars, die het
spel in hun geboorteland hadden geleerd. Het is mij echter niet mogen
gelukken hunne namen machtig te worden. Er werd gespeeld in het
Sterrenbosch en in 1857 werd de Mutua Fides C.C., opgericht, hetgeen wel aldus zal moeten gelezen worden, dat de Clubleden toevallig
allen tot het destijds bestaande studentencorps van dien naam zullen
hebben behoord. [...] De toen bestaande cricket vereenigingen: Mutua
Fides C.C. en de Africo-Batavian C.C. waarvan de Heer S. P. Naudé,
een Kapenaar, President was, verdwijnen eveneens in de jaren 1860 en
1859, zooals uit Studentenalmanakken van dien tijd blijkt.'[30] Het eerste
Nederlandse cricket in clubverband was dus maar een kort leven
beschoren.

In de Utrechtse universitaire *Almanak* van 1856 is ook een stukje te vinden van Jacob Lydias van Reede (1821-1875), een oud-Noorthey-leerling, die de oorsprong van zijn sportfascinatie uitlegt: "t Was voor ons een heerlijk genot, en – beter nog, – we gevoelden er ons te-krachtiger, te-lustiger om, wanneer de stille schoolkamers ons besloten hielden, en de schrijvers der oudheid, of de geschiedenis der volkeren, of Badon Ghyben met zijn meetkunst ons gelijke inspanning der hersenen afvorderden, als 't uur te voren het stelten-loopen, het balslaan en het cricket van onze spieren hadden geëischt.'[31] Van Reede zat van 1834 tot 1838 op Noorthey, en als zijn verhaal klopt, betekent het dat er toen al op Noorthey cricket werd gespeeld, tien jaar eerder nog dan gemeld door jonkheer Van Loon. We sluiten dat niet uit, maar wachten vooralsnog op bevestiging; we hebben bij het terugblikken van Charles Enschedé gezien hoe herinneringen gekleurd kunnen worden door de tijd.

### Cricket in Noordwijk

Mulier gaat door. De volgende plek van vroeg cricket is het 'Instituut Schreuders' in Noordwijk, een jongenskostschool die op 9 september 1861 is opgericht door oud-Noorthey-leraar Otto Johannes Schreuders (1828-1886). Pims broer Pieter (1853-1901) verblijft er van 1870 tot 1873. Schreuders neemt de sportbeoefening als onderdeel van het curriculum mee naar zijn nieuwe instituut. Mulier heeft gehoord dat het daar gespeeld werd 'omstreeks het jaar 1864 of begin 1865', wat goed kan, maar hij voegt daar vaagjes aan toe: 'Ik herinner mij persoonlijk de door [de Engelsche leraar] James verzorgde, lang niet slechte "pitch" op het speelterrein, met zijn vele societeiten en tenten, door de jongelui zelf gebouwd of gegraven.'[32]

Hoezo, 'Ik herinner mij'? Het gaat hier om een anekdote die hij pas jaren later uitwerkt, eerst in *Het Sportblad* van 1909, maar het uitgebreidst in het *Gedenkboek* van de Haarlemsche Football Club uit 1919. Hij staat door het onderzoek van Nico van Horn bekend als controversieel. Pim logeert op Schreuders tijdens Pieters verblijf aldaar, met als reden: 'In 70, toen de Duitsch-Fransche oorlog uit was, besloten mijne ouders de slagvelden te gaan zien' en Pim werd nog wat te jong bevonden om een dergelijke reis mee te maken. En zo kwam het: 'Daar te Noordwijk zag ik voor 't eerst 'n voetbal, 'n cricketspel, levende, Engelsch sprekende Engelschen als Rennertson en de leraar James'.[33] In 1933 voegt hij daar nog aan toe: 'Daar zag ik dan als 5-jarige vrijbuiter enorm lange jongens als mijn broer, Daan en Hugo Gevers, Piet Repelaer, Rennertson onder leiding van "Mister James" cricket spelen.'[34]

Otto Johannes Schreuders, te midden van zijn instituutsleden. In *Noordwijk door de ogen van Lutgens* (Noordwijk: Uitgeverij aan Zee, 2014) schat Jeroen Verhoog de foto op 1875. Het handgeschreven jaarverslag over 1875 van het Instituut Schreuders vermeldt dat er per 1 januari 1875 30 leerlingen en zeven docenten zijn; op de foto staan 37 personen. Collectie Piet Schreuders.

Van Horn twijfelt aan het waarheidsgehalte van dit verhaal, en met hem Mulier-biograaf Daniël Rewijk, omdat genoemde leraar George James nog niet in 1870, maar van januari 1872 tot juli 1876 op Schreuders lesgaf.[35]

Muliers 'Rennertson' is een niet-onaardige fonetische benadering van A. Birch *Reynardson*, leerling op Schreuders van 1870 tot 1872. De overlap tussen hem, Pieter en leraar James is de eerste helft van het jaar 1872, en als we ons realiseren dat de Frans-Duitse oorlog kort maar hevig is uitgevochten van juli 1870 tot en met mei 1871 (een gegeven dat Van Horn en Rewijk laten liggen), valt Pims herinnering toch op zijn plaats: hij logeert op Schreuders in (het voorjaar van) 1872, als de cricketbats weer tevoorschijn gehaald zijn, traditioneel vanaf april-mei, afhankelijk van het weer. Zijn vervorming van 1872 tot 1870 is hier dan het eerste geval waarin Mulier in zijn geschied-schrijving zijn eigen rol antedateert. En zeker niet het laatste.

HET WAS
EEN TEKEN
VAN "GROTE
WELSTAND"
ALS DE
ZONEN OP
NOORTHEY
GINGEN

## Vroeg kostschoolvoetbal?

Als bijvangst van de discussie tot zover zijn er al twee vermeldingen van 'football' en 'voetbal' voorbijgegaan, op respectievelijk Noorthey en Schreuders. Enschedé noemt *football* in zijn Noorthey-schets van 1920 en dat beschouwen we als precies dat: onderdeel van een grove schets die de introductie van voetbal in 1878-1879 meeneemt. En Mulier heeft het ook over ''n voetbal' op Schreuders. In 1909 geeft hij daarover nog wat extra informatie: 'Ik had het spel reeds eerder gezien, nl. in '71, toen ik eenige weken te Noordwijk logeerde, alwaar op de kostschool van Schreuders door Engelsche jongelui met een voetbal werd gespeeld.' Dat 'spelen' een groot woord was, laat hij in 1933 blijken: op Schreuders 'zag ik ook voor het eerst 'n voetbal, waarmee wat geschopt werd.'[36]

We hebben boven al aangetoond dat '71 1872 moet zijn, en daarnaast valt op dat dit hele verhaal ontbreekt in zijn *Athletiek en Voetbal* van 1894; het voetbaldeel daarvan begint met Haarlem rond 1880, en woorden als 'kostschool', 'Noorthey' en 'Schreuders' schitteren door afwezigheid. Mulier heeft dan vooral oog voor zijn eigen rol, en brengt daarop pas veel later, vanaf 1909, een correctie aan met het verhaal over Schreuders – die dan opnieuw hemzelf betreft.

Voetbal wordt, volgens het *Noortheysch Nieuwsblad*, in 1877-1878 op die school geïntroduceerd en gezien de onderlinge banden tussen de twee instituten kan het goed dat er op Schreuders al snel daarna ook wordt gevoetbald. We doen overigens een moord voor bewijs daarvan. In 1872 zou Mulier getuige kunnen zijn geweest van niet meer dan incidenteel 'geschop', dat in ieder geval geen systematisch vervolg heeft gekregen, met name niet in het curriculum van de school. Als het zo is gegaan, is iets anders mogelijk ook waar: Pims broer Pieter schopte eerder tegen een bal dan hij.

Instituutsdirecteur Schreuders stelt in ieder geval één docent aan die balsporten een warm hart toedraagt: John Joseph Helsdon Rix, vanaf 1877-1878 op Noorthey werkzaam, stapt over in 1882. Hij doet in Noordwijk wat hij eerder op Noorthey deed: sportbeoefening door de leerlingen stimuleren. Dat blijkt meteen in september 1882 uit de oprichting van de Noordwijksche Cricket Club.[37] Hij is de natuurlijke 'captain' van het team, als Engelsman met cricketkwaliteiten: 'Mr. J. J. Hel[s]don Rix, leeraar in de Engelsche taal en letterkunde aldaar, won den toss en koos het veld.' In Rix ziet men een zelden betere keeper 'die zoozeer alle goede eigenschappen, die zulk een persoon moet hebben, in zich vereenigt'.[38] Dat het, als er een club wordt opgericht, gaat om cricket en niet om voetbal, laat ook zien dat voetbal op Schreuders niet systematisch werd beoefend. We komen verderop nog terug op Helsdon Rix' sportkwaliteiten.

## II
# 'BURGERREGT' VOOR HET ENGELSE SPEL

## Hoe de Amsterdamsche Cricket-Club komt en weer gaat

### Van Noorthey naar Amsterdam

Noorthey was uitermate populair als opleidingsinstituut voor zoons van de Amsterdamse maatschappelijke bovenlaag. Historica Barbara van Vonderen schrijft over hen in *Deftig en ondernemend*, een studie over de Amsterdamse negentiende-eeuwse 'baanbrekende elite': 'Het was een teken van "grote welstand" als de zonen op Noortheij gingen. Om toegang te hebben tot het Amsterdamse circuit van nieuwe elite was Noortheij bijna een van de voorwaarden. Hun zonen kwamen er terecht tussen *first class families*; je kon er een formidabel netwerk opbouwen. Dat de prijs hoog was, gold alleen maar als een goed teken, een teken van gevestigde, betrouwbare rijkdom. De aanmelding op Noortheij verschafte de ouders in sociaal opzicht een plaats in de top van het Amsterdams zakenleven.'[39]

De groep jongens krijgt door de intensieve omgang met elkaar op Noorthey gaandeweg een band. Ze blijven elkaar na hun internaatstijd vriendschappelijk en sociaal opzoeken, wat ook leidt tot onderlinge huwelijken binnen hun families en tot zakelijke allianties. Als sportieve adolescenten komen ze voor vervolgstudies terug in Amsterdam. Ze gaan zelf sportief aan de slag en ongetwijfeld proberen ze familieleden en bevriende leeftijdsgenoten te enthousiasmeren. In 1871 vervullen ex-Noortheyenaars een opmerkelijke functie door de Amsterdamsche Cricket-Club op te richten. Het is het vierde verhaal over vroeg cricket met een Noorthey-connectie, dat van 'A.C.C.' Emile Jérôme Sillem is leerling op Noorthey van 1856 tot 1864. Hij is een jongere broer van Johann Gottlieb 'John' Sillem, Noorthey 1853-1855, de vader van de later in het verhaal opduikende Henk en Ernst Sillem, en van Jérôme Alexander Sillem, Noorthey 1853-1857. Dirk van Bosse is een medeleerling van Emile Sillem gedurende diens laatste drie jaar op Noorthey. Deze twee, met oud-Noortheyenaar Willem

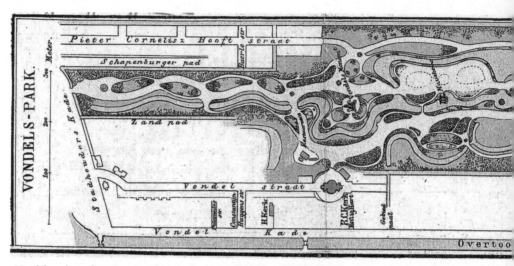

Vondelspark rond 1875, met midden-onder het melkhuisje met het weiland waarop wordt gecricket, en later ook getennist, geturnd en gevoetbald. Bron: Bibliotheek van de Universiteit van Amsterdam, Sector Bijzondere Collecties: OTM: HB-KZL 28.21.17.

van der Vies (op de kostschool van 1865 tot 1868), plus Meinhard Voûte en Barend Moltzer, richten op 26 mei 1871 de Amsterdamsche Cricket-Club op, de eerste in de hoofdstad. Dirk wordt president, Meinhard vicepresident, Emile secretaris, Willem tweede secretaris en Barend penningmeester. De kranten zijn welwillend: 'Jl. zaturdag heeft te Amsterdam de onlangs aldaar opgerigte *Amsterdamsche Cricket club* hare eerste oefeningsvergadering gehouden. De jeugdige vereeniging, zegt het Vaderl., ondervindt veel aanmoediging en ondersteuning, en, daar het kolven en kaatsen, zoo naauw verwant aan het cricket, hier te lande vanouds bekend zijn en beoefend werden, lijdt het geen twijfel of ook het Engelsche spel zal burgerregt krijgen en onder de volksspelen opgenomen worden.'[40]

Dat Emile Sillems oudere broers John en Jérôme dan nog een cricketballetje mee slaan, is niet waarschijnlijk. Ze hebben het op Noorthey intensief beoefend, maar sporten in de negentiende eeuw is nogal leeftijdsgebonden. Als een elitetiener twee tot drie jaar jonger is dan een groep sportende jongelieden (al of niet met zijn broers erin), dan richt zo'n naar zelfstandigheid strevende puber liever zelf een club op dan zich bij die 'ouwetjes' aan te sluiten. En, zoals de gevallen van de gebroeders Smith en leraar Cowan ook laten zien: heeft de volwassen geworden twintiger een gerespecteerde baan en maatschappelijk aanzien, en is hij getrouwd, dan laat hij het sporten over aan de jongeren.

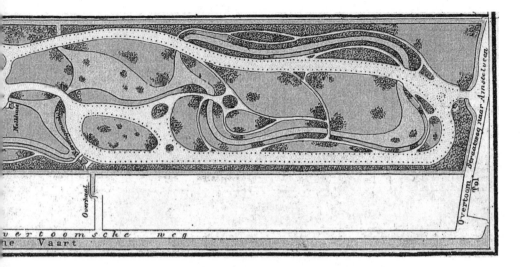

Het speelterrein van de Amsterdamsche Cricket-Club wordt op 8 mei 1875 vermeld als 'het nieuwe terrein in het Vondelspark', waar 'oefeningen zullen beginnen Zondag 9 dezer, ten 11 uur'.[41] Vanaf dat moment worden ze daar een- of tweemaal per week gehouden,[42] en door een 'vrij groot publiek' met grote aandacht gevolgd. Zij het dat 'de omstanders er weinig van begrepen, omdat zij niets dan Engelsch hooren'.[43] Het is vast geen toeval dat een half jaar daarvoor, op 17 november 1874, het bestuur van het Vondelpark versterking heeft gekregen van Jérôme Sillem. Hij gaat voortvarend te werk. Op woensdag 24 februari 1875 bespreekt dat bestuur het voorstel van de A.C.C. om 'hare oefeningen op het weiland bij de melkerij' te kunnen houden, een terrein dat onderdeel uitmaakt van het Vondelpark.[44] De vergadering 'hecht hieraan haar goedkeuring' en op 7 mei blijkt alles in een schikking met de uitbater van de melkerij geformaliseerd.[45] De schaarse informatie over een speelterrein van de club vóór 1875 wijst erop dat men dan niet beschikt over een vaste locatie. In mei 1873 en 1874 verschijnt in de krant al precies dezelfde aankondiging over 'oefeningen' als in 1875, maar zonder dat een plek wordt genoemd; blijkbaar wisten de leden waar zij moesten zijn, maar was dat geen echt clubterrein.[46] Vanaf najaar 1873 wijkt men voor een jaarlijkse onderlinge 'match' op de 'Club-Dag' uit naar Haarlem, waar wordt gespeeld in de Haarlemmer Hout 'op het veld tusschen de Spanjaardslaan, den weg naar Heemstede en de buitenplaats Leeuwenhoofd', 'achter de laan op een ruim weiland'.[47] Zo maakt men ook in Haarlem en omstreken kennis met cricket en het zou zo maar kunnen dat zich onder het publiek de jonge Pim Mulier en zijn kornuiten bevinden.

De toegang tot Pleziertuin De Nederlanden aan de Buitensingel.
Bron: http://www.theobakker.net/pdf/stadspolder.pdf (2015).

## Pleziertuin De Nederlanden

In het *Algemeen Handelsblad* van 17 juni 1873 duikt een anekdote op
die nog eens onderstreept dat A.C.C. op dat moment nog geen regulier
cricketveld bezit: 'Gisterennamiddag te 12 uren is in de Vest achter
de Engelsche gasfabriek, een schuitje, waarin drie personen gezeten
waren, omgeslagen. Twee hunner werden gered door een der leden van
de Amsterdamsche Cricketclub, de heer B.M., en een was gelukkig
genoeg, zich door eigen krachtsinspanning aan het gevaar van te
verdrinken, te onttrekken.'[48] B.M. is de dan 25-jarige Barend Moltzer,
de (latere) president van de vereniging en in dat jaar ook secretaris van
de Gymnastiek-Vereniging Lycurgus. Hij wordt een paar dagen later
in dezelfde krant voor zijn inspanningen bedankt door de weduwe M.
Dijst-Knepper, moeder van twee van de drenkelingen.[49] Ze meldt dat
haar zoon Jacobus door 'de gevolgen van een noodlottig toeval' toch
nog is overleden, maar betuigt niettemin 'onze hoogsten dank' aan
'den edelen menschenvriend, den Heer B. Moltzer', voor de 'mensch-
lievende wijze, waarmede hij met gevaar van eigen leven mijn Zoons
nog levend heeft gered'.[50]
Barend is waarschijnlijk niet zo maar aanwezig op de plek van zijn
heldendaad. Het landelijke gebied ten zuiden van de Singelgracht
(buiten 'de Vest') is nog niet ontwikkeld, en deze Stadspolder is
volop in gebruik voor recreatie, sociëteitsbezigheden en sport en
spel, zoals kegelen en handboogschieten, in 'pleziertuinen' zoals De
Keizerskroon en De Nederlanden. Barend en kornuiten kunnen daar
op de bewuste dag aan het cricket-oefenen geweest zijn, want buitenplaats De Nederlanden lag recht tegenover de Engelsche Gasfabriek:
het terrein 'kreeg in het tweede kwart van de 19de eeuw last van de

industrie langs de Schans aan de overkant van de Singelgracht. Als de wind verkeerd stond kreeg de tuin zwarte rookwolken te verwerken van de gasfabriek en suikerfabriek aan de Schans, de latere Marnixstraat.[51] De gasfabriek is eigendom van het Engelse bedrijf I.C.G.A., de Imperial Continental Gaz Association, en zal later in ons verhaal nog terugkomen.

Volgens Mulier is de A.C.C. 'omstreeks '75' ontbonden.[52] Een kranten-bericht in februari 1876 meldt dat in Amsterdam 'sedert Mei 1871 eene Cricket-club bestaat' die 'dit gezonde spel' tijdens de zomer tweemaal per week in het Vondelpark beoefent.[53] Als bestuursleden worden genoemd Barend Moltzer president, Willem van der Vies commissaris, Willem Carel von der Heyde secretaris, Hendrik Carel Surie penning-meester en Fedor Christiaan Bunge commissaris. Uit deze bestuurs-samenstelling blijkt opnieuw de kracht van het Noorthey-netwerk: Bunge is oud-Noortheyenaar en Willem van der Vies trouwt in 1880 met Julia Surie, zus van A.C.C.'er Surie. Ook zakelijk zijn de A.C.C.'ers met elkaar verbonden. Op 21 oktober 1886 wordt in de hoofdstad de naam-loze vennootschap West-Indische Landbouw-Maatschappij opgericht, met Bunge, A.C.C.'er Meinhard Voûte en Christiaan Nicolaas Jacob Moltzer, een broer van Barend, als aandeelhouders. Ook de families Moltzer en Von der Heyde zijn in diverse firma's zakelijk met elkaar verbonden.
Dat A.C.C. dan niet alleen bestaat, maar ook floreert, blijkt op 11 april 1876: 'Op de jaarlijksche vergadering der Amsterdamsche Cricket-club, Woensdag 5 dezer in het Café Suisse gehouden, werd door den secretaris een gunstig verslag uitgebracht. Het aantal leden neemt toe en het spel gaat vooruit.'[54] Er volgt een positief geformuleerde brief aan het bestuur van het Vondelpark, met het verzoek om bij voltooiing van een nieuw deel van het Vondelpark ook een cricketterrein te reserveren ter grootte van twee bunders, ongeveer twee hectare. In de vergadering van 11 april 1876 besluit het bestuur na 'inzage van het plan' van het nieuwe Vondelparkdeel dat zo'n terrein inderdaad voorhanden zal zijn, 'en dan kan dit aan die club worden verhuurd tegen een prijs die aan het Vondelspark waarborgt gelijke inkomsten daarvan te trekken als wanneer het gras gemaaid en verkocht wordt'. Met als toevoeging dat die 'verhuring slechts voor een of twee jaar moet geschieden' en dat een definitief besluit pas genomen kan worden wanneer het nieuwe parkdeel is voltooid.[55]
Of het nieuwe terrein ooit is bespeeld, blijft onduidelijk. Sportblad *De Athleet* stelt in 1897: 'Deze club hield zich een vijftal jaren staande; gebrek aan wedstrijden – zij was toenmaals de eenige club – doodde de animo.'[56]

III
# ROMIJN'EN IN ACTIE

## Hoe een 'Engelse' zoon en vader het cricket introduceren in Deventer en Den Haag

**Kennemer souffleert Mulier**

In het tweede deel van de jaren zeventig vinden buiten Amsterdam en Haarlem belangrijke ontwikkelingen plaats voor het Nederlandse cricket. De A.C.C. is zo'n twee jaar ter ziele wanneer in december 1878 in *Het Nieuws van den Dag* een groot opiniestuk verschijnt, onder het pseudoniem 'Kennemer', met als titel 'Over Hollandsche spelen'. De goed ingevoerde brievenschrijver werpt hierin een aantal principiële vragen op over 'sport'-beoefening ('het woord vertalen kan ik niet') in Nederland: 'Hoe komt het dat alle lichaamsoefeningen zich bij ons bijna uitsluitend bepalen tot gymnastiek? Waarom zijn cricket, football en dergelijke spelen bij ons niet bekend? Wat is de reden dat mannen en jongens er hier te lande geen genoegen in schijnen te vinden?' Antwoord: 'Een der groote fouten onzer opvoeding ligt daarin, dat men de jongens niet leert spelen. In de boeken studeeren is volgens onze Hollandsche paedagogen alles [...] Ieder, die op een kostschool is geweest weet hoe zelden het gebeurt dat een meester met de jongens medespeelt, hen aanzet tot spelen of hen een flink, gezond en toch vermakelijk spel leert; en mocht dit het geval zijn, dan ben ik zeker dat het meestal een Fransch of Engelsch onderwijzer is. De Hollandsche leeraars moeten in de vrije uren hard blokken voor de duizend en een vakken waarin zij examen moeten afleggen, en hebben dus geen tijd om zich met de jongens te bemoeien.' [...] De gevolgen liggen voor de hand: het spelen vermaakt de jongens niet, en de vrije uren worden doorgebracht met sigaren rooken en romannetjes lezen.' Hij eindigt met 'den wensch dat zich meer stemmen mogen verheffen op het gebied der sport'.[57]

Achter het pseudoniem Kennemer gaat Frederik Willem Christiaan Hendrik 'Frits' baron van Tuyll van Serooskerken (1851 Amsterdam-1924 's-Gravenhage) schuil, later vooral bekend als eerste Nederlands lid, vanaf 1898, van het Internationaal Olympisch Comité en pleitbezorger voor het houden van Olympische Spelen in Amsterdam, die er uiteindelijk in 1928 kwamen door zijn goede contacten met De Coubertin, zij het dat Frits dat niet meer meemaakte. Hij houdt hier het vroegst bekende pleidooi voor de systematische beoefening van de Engelse sport in Nederland.[58] We hebben dit (nog) niet ergens goed uitgewerkt gezien, maar de invloed van Frits van Tuyll op de ideeën van Mulier is onmiskenbaar. Zoals bijvoorbeeld blijkt uit deze passage uit het 'Voorwoord' van *Athletiek en Voetbal* (1894): '[I]s het voetbal en de athletiek bevorderlijk voor ons volk? Met een vastgewortelde overtuiging, gebazeerd op jarenlange ondervinding op dit punt zeg ik ja, zeer zeker ja. Wanneer eenmaal het oogenblik daar zal zijn, dat dit den geest en het lichaam zoozeer ontwikkelende spel door het geheele land zal worden gespeeld, wanneer de kostscholen hun frissche voetbal en cricketveld zullen hebben in plaats van een vervelende kleine speelplaats en de burgerstand zoowel als de militair met het spel vertrouwd zal zijn, dan zal men weldra zien, dat het veel van de Jan Saliegeest heeft weggevaagd, pit heeft gegeven aan den bloempjes plukkenden wandelaar, gezonde afleiding aan den slenterenden infanterist, die met zijn leegen tijd geen raad weet en op het Kazerneterrein geen aantrekkelijke ontspanning vindt. Het spel zal afbreuk doen aan de biljarten der tallooze cafés, die nu op de vrije dagen door menig volontairtje, gymnasiast en Burgerscholier worden bezocht.'[59]

Er volgt in 1878 al snel een reactie op Kennemers stuk, en wel in de vorm van een milde terechtwijzing: 'Naar aanleiding van het feuilleton in het *N.v.d.D.* van 1[3] dezer, meldt men ons uit Deventer, dat daar sedert drie jaren een flinke cricket-club bestaat, samengesteld uit leerlingen van gymnasium en H.B. School. Tweemalen in de week houdt de club hare oefeningen op een daartoe door het gemeentebestuur welwillend aangewezen veld. De oprichter was een Engelsche jongen, die hier tijdelijk het gymnasium bezocht. Bedrieg ik mij niet, dan bestaat een dergelijke club te Zeist. Zonder twijfel zou het goed zijn, als ook elders dat voorbeeld werd gevolgd.'[60]

Het gaat hier natuurlijk om Utile Dulci, de club opgericht op 13 oktober 1875 in Deventer, die – sinds 1975 Koninklijk – zichzelf op haar website nog steeds terecht afficheert als 'de oudste nog bestaande vereniging voor veldsport in Nederland'.[61]

### Pieter en John Romijn

De genoemde Engelse gymnasiast die geldt als oprichter van U.D., is John Richard Dickson Romijn (1856-1937), een Nederlands-Engelse jongeman met een interessante achtergrond. Zijn vader Pieter Romijn, geboren in 1815 in Rotterdam, komt op 17-jarige leeftijd via de koopvaardij terecht in Stockton-on-Tees, destijds een levendige havenstad aan de Noord-Engelse oostkust. Pieter blijft er hangen, wordt er Nederlands handelsvertegenwoordiger en trouwt met Mary

Moment in een wedstrijd van U.D. op de Twelloseweg, waar de club speelt tussen 1885-1886. Bowlen gebeurt onderhands; de batsman wacht af onder de sticker! Bron: Archief Utile Dulci.

Elisabeth Dickson, een huwelijk waaruit in 1856 zoon John Richard wordt geboren; Mary overlijdt in 1861. In de kranten verschijnt in 1869 een reisverslag, waarin de schrijver meldt wat '[d]e gezagvoerders der kleine hollandsche schepen' in Noord-Engeland meemaken: 'Gaan ze nu naar het omstreeks 5 mijlen van Middlesbro' verwijderde Stockton, om den nederlanschen vice-consul te spreken, dan ontdekken ze tot hunne verwondering, dat ook deze onze taal niet verstaat, ook zelfs geen duitsch!'[62]

Ter plaatse bestaat al sinds 1816 de Stockton Cricket Club, die in 1847 vereerd werd met een bezoek van de 'All England XI' in 1847, op toernee in Noord-Engeland. Anders dan de naam doet vermoeden, was dat een landelijk B-team, 'de rest van Engeland', in 1846 opgericht door county-cricketer William Clarke om met demonstratie-wedstrijden goed geld te verdienen; het team heeft tot 1880 bestaan.[63] Pieter zal de wedstrijd hebben gezien en enthousiast zijn geraakt, zo hij het al niet was, om dat enthousiasme later over te dragen op zoon John Richard. In een Engelse publicatie lezen we over hem: 'While living [in England] he became attached to the game of cricket, and on his return to his native country he determined to form a cricket club.'[64]

Pieter Romijn keert inderdaad in 1869 terug en vestigt zich te Den Haag. John Richard komt mee, heeft een dubbele achternaam aangenomen ter nagedachtenis van zijn moeder, gaat naar het gymnasium in Deventer en is daar 1875 de initiatiefnemer tot de oprichting van Utile Dulci. De reden dat John in het oosten des lands terechtkomt,

Inspiratie voor Pieter Romijn? Het All England XI team in 1847; precies in het midden, met hoge hoed, manager William Clarke. Bron: https://en.wikipedia.org/wiki/Non-international_England_cricket_teams.

is waarschijnlijk de uitstekende naam van het Deventer gymnasium. Als opvolger van de literator Johannes van der Vloten, die er na een conflict is vertrokken, is in 1867 in Deventer de filosofisch-sociaal geëngageerde rector Annes Johan Vitringa aangetreden. Hij geeft in de *Deventer Courant* van 3 december 1875 als columnist onder het pseudoniem Peripatheticus de vroegst bekende beschrijving in een dagblad van cricketende jongeren, onder wie twee van zijn zoons: 'Reeds enige weken zag ik nagenoeg elke Woensdag- en Zaterdag- namiddag een twintigtal jongelui met stokken gewapend mijn huis voorbij lopen. [...] Een kloek besluit genomen hebbende zette ik mijn hoed op, verliet mijn wederhelft en volgde op korte afstand de jongelui die de Zutphense weg op waren gegaan en op de Bergweide reeds bezig waren hun spel op te zetten. Drie paaltjes werden op korte afstand van elkaar in de grond geslagen, twee stokjes daarboven opgelegd en toen zag ik een ander op een afstand van ongeveer 22 passen weder 3 paaltjes in de grond slaan en ook daar twee stokjes boven leggen juist als op die andere paaltjes die er tegenover stonden.'[65]

Deventer is dan ook al een bekend sportcentrum, omdat hier in 1871 de meteen al bijzonder actieve Vélocipède Club 'Immer Weiter' wordt opgericht, die gewoonlijk als de eerste wielervereniging in Nederland wordt beschouwd.[66] Er zijn meerdere gevallen van overlappend lidmaat- schap tussen de twee sportverenigingen.

In 1876 alweer verlaat John Dickson Romijn de Deventerse school voor studie in Engeland.[67] De club komt dan in een dipje terecht, 'due to the fact that the players had no one to instruct them in the game, at least no one practically acquainted with it' en de 'players were thus left to themselves'.[68]

In Den Haag wordt in de loop van 1878 de Haagsche Cricket-Club (H.C.C.) opgericht, 'op aansporen van den heer Romijn door eenige jongens van de Hoogere Burger School. [....] Het eerste speelterrein van de vereeniging, die in den aanvang slechts een achttal leden telde, was een grasveld in het Van Stolkpark en pas na verloop van twee jaar werd het spel naar de Maliebaan overgebracht. Het materieel van de club, dat te Amsterdam bij Perry werd gekocht, zou door den tegenwoordigen beoefenaar van het spel met verbazing worden aan-schouwd: de bats behoorden nog tot het nog niet geheel uitgestorven geslacht der "planken" en de eerste bal, die door de onzekere hand des bowlers naar het wicket tegenover hem werd gezonden, was van hout en met caoutchouc bekleed.'[69] In het *Gedenkboek H.C.C. 1928* herinnert oud-clubcoryfee Jaap van Stolk zich Pieter Romijn als 'een vriend van mijn ouders', die hem de goede raad gaf 'cricket te probeeren': 'Ik had naar dien raad wel ooren en ik besprak de zaak met mijn vrienden, hetgeen tot gevolg had, dat wij op een goeden avond op de eerste Witte plek in de Scheveningsche bosjes tezamen kwamen om daar mijn voorstel tot oprichting eener cricket-club in behandeling te nemen, in plaats van gymnastische pyramides te maken, hetgeen wij dikwijls op die plaats deden.'[70]

### Uxbridge versus Nederlands combi-team

U.D. in Deventer en H.C.C. in Den Haag vormen samen het begin van het Nederlandse clubcricket, geïnspireerd door twee Engels-talige Romijn'en, vader en zoon. Mulier noemt 'den eerwaardigen en beminnelijken heer P. Romyn' de Nederlandse 'Sport-Nestor, die nog bij tal van wedstrijden door zijn tegenwoordigheid blijken gaf van belangstelling in de door hem opgezette beweging'.[71] H.C.C. en U.D. werken samen bij een historische gebeurtenis op 26 en 27 augustus 1881 in Den Haag, waar op het Malieveld door een combinatieteam wordt gespeeld tegen de Engelse Uxbridge Cricket Club. De twee Nederlandse clubs slaan de handen ineen als reactie op een advertentie in mei in de *Nieuwe Rotterdamsche Courant,* waarin '[a]n English team of cricketers, consisting of eleven gentlemen players' het idee uit van 'playing a friendly game of cricket' tegen '22 gentlemen, residing in Holland except professional cricketers', liefst in Rotterdam of Den Haag.[72]

Uxbridge C.C. – afkomstig uit een dan nog landelijke plaats van die naam ten westen van Londen, nu opgenomen in de grotere metropool – is niet het eerste het beste gezelschapje. Het is opgericht in 1789 en heeft in zijn vroege geschiedenis een aantal gerenommeerde spelers voortgebracht. Wat de Engelsen bewogen heeft contact te zoeken met

Utile Dulci in 1876, de oudst bekende afbeelding van een Nederlandse cricketclub. John Richard Dickson Romijn ontbreekt: hij is zojuist naar Engeland vertrokken. Wel op de foto staan twee zoons van de rector van het Deventer gymnasium: staand, tiende van links, Annes, en zittend, vierde van links, Jacob Vitringa. Uiterst rechts staat Eduard van Amstel, een jongen met een Indische achtergrond. Op het origineel van de foto in het U.D.-archief is te zien dat zijn hoofd op de foto is geplakt. Vermoedelijk was hij letterlijk weggekrast, omdat hij met ruzie bij U.D. was vertrokken; uit een ander foto-exemplaar is dan een nieuw hoofd op dit origineel gelijmd. Bron: Archief Utile Dulci.

Nederland blijft een vraag, maar het gebeurt en het is een eer. Onder de nieuwsgierige ogen van de plaatselijke bevolking, onder wie een grote groep Engelsen en Amerikanen uit Scheveningen en Den Haag, komen de Nederlanders nauwelijks aan scoren toe door het 'alloverpowering' bowlen van de tegenstander; ze verliezen dan ook de tweedaagse wedstrijd met 107 tegen 47 runs.[73] Mulier vermoedt 'dat de overzeesche vrienden er meer een voor ons leerrijk aardigheidje van gemaakt hebben en niet hun uiterste best zullen hebben gedaan'. *The Uxbridge Gazette* van 2 september weet in een vrolijk verslag nog beter: men heeft lang niet zijn sterkste team gestuurd en zou in deze samenstelling in Engeland nooit de club hebben kunnen vertegenwoordigen.

Uit de krantenberichten kan worden afgeleid wie in 1881 de eerste Nederlandse internationale cricketers op het Malieveld zijn, zij het niet van het volledige team van 22. Het merendeel bestaat uit lokale

H.C.C.'ers, zoals Van Stolk, Dirk Koster en de 18-jarige Rudolf Johan Hendrik Patijn, een zoon van Gerard Jacob Patijn, de burgemeester van Den Haag, die nota bene zelf als student al cricket speelde bij Mutua Fides in Utrecht rond 1856. Ze worden bijgestaan door spelers uit Haarlem, Deventer en Noorthey. Onder de Haarlemmers slaan twee namen aan: Sijpesteijn en Wijdenes; hun sportieve afkomst komt verderop in ons verhaal aan bod.

Onder de Nederlanders wordt twee maal Kramer genoemd, als speler die op beide dagen bijdraagt aan de score: 'Kramer Sr.' op dag 1 met 2 runs en 'Kramer' op dag 2 met maar liefst 15 runs, bijna de helft van het dagteamtotaal van 33. Hij is dan ook de 'Grote held'. Maar het gaat hier om twee verschillende spelers, van wie de identiteit duidelijk wordt doordat de tweede ook als 'H. Kramers' wordt vermeld. Johannes en Hendrik zijn twee zoons van Johannes Hendrik Kramers, de opvolger van De Raadt als directeur van Noorthey, van 1851 tot de sluiting in 1882. De broers zitten samen van 1870 tot 1878 op Noorthey, en studeren allebei daarna in Leiden, vermoedelijk al op het moment van de cricketwedstrijd.

Twee Noortheyenaars actief en nuttig bij de eerste internationale veldsport-ontmoeting op Nederlandse bodem: weer een bewijs van het belang van dit instituut en zijn sportprogramma voor de vroege sportbeoefening in Nederland. Voor zover na te gaan verschijnen de broers Kramers hierna niet meer in serieuze sportwedstrijden.

Mulier beschouwt de ontmoeting toch als uiterst leerzaam: men heeft nu in Nederland kunnen zien wat echt cricket betekent. Aan Nederlandse kant zijn vooral de verschillen in interpretatie van de speelwijze en spelregels op haast beschamende wijze aan het licht gekomen. De wedstrijd leidt dan ook tot de oprichting van de Nederlandsche Cricket Bond op 30 september 1883 in Utrecht. Voorzitter wordt de 19-jarige H.C.C.'er Frans Netscher, jong als hij is een van de betere spelers van het Malieveld twee jaar eerder en later als journalist-sporter een zeer prominente figuur in de Nederlandse en internationale sportwereld.[74] Beide initiatieven geven een enorme *boost* aan de ontluikende beoefening van de sport in het land. Cricket wordt snel populair, en overal ontstaan clubs en clubjes, informeel en formeel, tijdelijk of gestructureerd.

# IV
# 'NOW LITTLE MÛLIER I' WILL BOWL YOU!'

## Hoe cricket in Haarlem begint, met een lector en een Engelse gasconnectie

### Cricket in Haarlem vanaf 1880

1880-1881 zijn significante jaren in de sportbeoefening in Haarlem, dus dit is het punt om Zuid-Kennemerland onder de loep te nemen: ook daar zit men niet stil. Muliers *Cricket* is een waardevolle bron, maar hij goochelt met namen en rugnummers, dus het hier volgende is een reconstructie.[75]

'In het jaar 1880', zegt Mulier (een specificering ontbreekt), wordt in Haarlem 'een vereeniging opgericht "Progress" genaamd, bestaande hoofdzakelijk uit jongelui der 4e en 54e klasse van het gymnasium en der H.B. School', van zo'n 16-17 jaar. Daarbij volgt een lange lijst namen van deze plaatselijke pioniers, onder wie die van Floris Wijdenes Spaans en Pieter Hendrik Kaars Sijpesteyn, de vermoedelijke Haarlemmers van het Malieveld 1881. Mulier schaart zich onder een handvol spelers die zich 'later' aansloten, maar zegt niet wanneer. Een jonger groepje jongens, 'een zeer gevaarlijke combinatie', schrijft hij met Mulierse ironie, 'uit de tweede en derde klasse Gymnasium' heeft 'eenige keren het spel der ouderen op de duinen aangezien', voelt zich als jonkies 'misbruikt' om vooral ballen te moeten rapen[76], en begint een eigen club: 'Rood en Zwart', opgericht 'door schrijver met behulp van' David Eliza van Lennep, jonkheer J.W. 'Wim' Schorer en Job Posthuma.[77] Opnieuw volgen namen van clubleden, met daarbij de aantekening: zij 'behoorden allen tot de door schrijver in 1879 opgerichte H.F.C.'

Haarlemsche Football Club en 1879, dat is op zijn eigen manier 'een zeer gevaarlijke combinatie', zeker een om te onthouden voor later in ons verhaal.

Muliers cricketclub Rood en Zwart probeert 'op onze manier exclusief te zijn' en weigert het lidmaatschap aan kandidaat-speler Gideon Krüseman, die onvervaard met andere H.B.S.'ers zijn eigen

club opricht: Rood en Wit. Deze club houdt vanaf 22 januari 1881
zijn eerste oefeningen 'met een achttal leden'[78] en wordt de eerste
Haarlemse cricketclub met een officiële oprichtingsdatum: 22 juni
1881, genoemd op 29 juli 1885 in een bericht van de vereniging in de
*Staatscourant* van 15 augustus 1885. In de loop van 1881 debuteert
Muliers Rood en Zwart als wedstrijdclub tegen plaatsgenoot
Eendracht, 'bijgenaamd de Koetsiersclub (om hunnen zwarte petten
met geele biezen)', en wint. Vervolgens speelt een combinatie van Rood
en Zwart met Rood en Wit, blijkbaar niet gehinderd door rancune
rond de kwestie Krüseman, op 1 en 19 oktober tegen Progress. Het
zijn wedstrijden die de kleurencombinatie, tot Muliers verwondering
en genoegen, allebei wint, met 50 om 39 en 43 om 24 runs.[79]
Of Mulier meespeelt tegen Eendracht is uit *Cricket* niet op te maken,
vermoedelijk wel, en zo ja, dan is het op 16-jarige leeftijd zijn debuut
in de wedstrijdsport. Hij speelt in elk geval zeker mee in de twee
wedstrijden tegen Progress. Over de wedstrijd van 1 oktober schrijft
hij: 'Herinner ik mij wel, dan bowlden o.a. Wilson, Loopuyt, Beets,
Schiff en schrijver'. En over de wedstrijd van 19 oktober: 'Daar was
het dat de meesten van ons voor het eerst het overhandsch bowlen
gadesloegen. Ik weet nog, hoe ik na een paar puntjes gemaakt te hebben, tegenover den "Engelschman" kwam, die mij lachend toevoegde
"Now little Mûlier I' will bowl you." En uit pure angst liet ik de
bedreiging werkelijkheid worden.'[80] Die angstaanjagende bowler van
Progress is de Haarlemse Engelsman Wilson, die nog in een andere rol
in dit verhaal terugkomt.
In Haarlem zijn er in deze oertijd zo'n dozijn cricketclubs actief.
De meeste zijn verwaarloosbaar klein, maar het toont wel aan hoe
snel cricket populair wordt, niet alleen aan het Spaarne trouwens:
vergelijkbare berichten komen uit het hele land. Rood en Zwart is daar
echter niet lang meer bij. 'Einde 1881', schrijft Mulier, gaat de club ter
ziele vanwege het voortdurende zwerven van het ene speelterrein naar
het andere: men moest steeds 'op het een of andere stuk land cricketen
totdat de eigenaar ons verjaagde met eenige woorden die niet in de
dictionnaire staan; dan toog men weder naar een ander stuk'. Het
gevolg hiervan is ook een teruglopend ledenaantal.[81]
Ondanks de onderlinge wedstrijden, met combinaties en al, was
de naijver tussen de drie 'Groote Mogendheden' volgens Mulier in
*Cricket* niet gering en liepen spelers zelfs 'verraderlijk' over. Hij legt
(jammer genoeg, voor de latere lezer) niet uit wat hij daarmee bedoelt,
maar nog in 1933, meer dan vijftig jaar na dato, fulmineert hij: Rood
en Wit 'werkte onze club Rood en Zwart naar de haaien. Zoo is R.W.
ontstaan!'[82] Dit betreft waarschijnlijk een affaire eind januari 1882 met
de sterke speler en bowler Abraham 'Bram' Beets, die volgens stukken in het archief van Rood en Wit door een intern conflict overwoog

die club te verlaten en naar Rood en Zwart over te stappen – maar hij kwam daarop terug. Zo zou dus Rood en Wit groot en sterk zijn geworden ten koste van Rood en Zwart. Dat Rood en Wit ontstond toen Rood en Zwart een mogelijke speler – Gideon Krüseman – weg balloteerde, wordt voor het gemak even door Mulier vergeten.[83] Rood en Zwart heeft zo'n anderhalf jaar bestaan, van midden 1880 tot begin 1882. De spelers verspreiden zich over Progress en Rood en Wit. H.C.C. uit Den Haag daagt Progress uit voor de eerste Nederlandse interstedelijke wedstrijd op 27 november 1881, maar om onbekende redenen gaat dat niet door. Zo heeft bijna een jaar later op 24 september 1882 Haarlem die mooie primeur met Progress tegen H.C.C., waarvan Mulier vanwege het bijzondere karakter van de match uitvoerig de cijfers weergeeft. Het Haarlemse elftal bestaat uit de bowlers Th. Loopuyt, Wilson, jonkheer H. van Lennep, Anton Schiff en Job Posthuma, en verder Willem Schiff, ex-Noortheyenaar (tot medio juni 1881) Willem van Welderen baron Rengers, Piet Posthuma, Levinus Johannes Janssen, jonkheer Bernard van Merlen en Floris Wijdenes Spaans. De voor Progress uitkomende Engelsman Wilson is topscorer met 12 runs, maar H.C.C. wint met 4 wickets. Op 16 september 1883 heeft de return een vergelijkbare uitslag, en Progress legt daarna het loodje. Rood en Wit blijft in Haarlem over als de laatste 'Groote Mogendheid'. Mulier wordt er in juli 1884 lid van.

**Ontstaan van Progress**
Het Haarlemse cricket, en daarmee de veldsport, begint in 1880 bij Progress. Er zijn verschillende verhalen in omloop over hoe dat gebeurt, maar: ze kunnen prima met elkaar in overeenstemming worden gebracht wanneer we ons verdiepen in de betrokkenen – de interessante betrokkenen.
In het *Haarlemsch Advertentieblad* verschijnt in oktober 1881 een artikel onder de titel 'Onze Hollandsche Jongens'. Daarin wordt opgewekt geschetst hoe 'in het begin van het vorigen jaar cenige gymnasiasten der hoogste klassen' een dispuutclub hebben opgericht, 'daartoe aangespoord door een der lectoren'. Een dis-puutclub impliceert voordrachten en een van de jongelui kiest 'de jongensspelen' als onderwerp. Hij houdt een vurig, Van Tuyll-achtig pleidooi voor de lichaamsoefeningen in de open lucht, zoals vooral in Engeland op de (kost)scholen wordt gepraktiseerd. Waarom zouden Hollandse jongens dat voorbeeld niet kunnen volgen 'in-plaats van de vrije middagen aan 't billard door te brengen?' Nog dezelfde avond wordt een cricketclub opgericht. 'Even vlug werden eenige bepalingen vastgesteld, en binnen een paar dagen trok deze nieuwe club naar de duinen, waar zij voortaan hunne vrije middagen met cricket spelen doorbrachten.'[84] Dat het hier om Progress gaat,

blijkt uit een toevoeging: 'Woensdag werd hier een match gehouden
van de zoogenaamde blauwe club (de eerste oprichters) tegen twee
anderen.' Waarna de uitslag volgt van de wedstrijd van 1 oktober
tussen Progress, dat inderdaad blauw-wit als clubkleuren heeft, en
de combinatie van Rood en Wit en Muliers Rood en Zwart: 39 om 50
runs.
'Een der lectoren' die via de dispuutclub de hand heeft in de oprichting
van Progress, wie was dat? We denken het te weten.

### Vader en zoon Logeman

Als in 1850 de positie van leraar in wis- en natuurkunde aan het
Haarlemse Stedelijk Gymnasium vacant komt, wordt Willem
Martinus Logeman (1821-1894) daarop aangesteld. In Amsterdam
geboren, is hij door zijn vader opgeleid tot natuurkundig instrument-
maker en zeven jaar eerder naar Haarlem verhuisd. Hij verwerft een
aantal octrooien en presenteert zijn ingenieuze vondsten prijswinnend
tijdens wereldtentoonstellingen in Londen in 1851 en Parijs in 1855.[85]
Naast zijn leraarschap aan het gymnasium geeft Logeman geruime
tijd fysica op de klinische school, ook wel de 'genees-, heel-, verlos- en
artsenijmengkundige school' genoemd, waar hij op 18 november 1859
wordt benoemd tot honorair lector. In 1864 accepteert hij ook nog een
docentschap aan de H.B.S., gevolgd door het directeurschap van de
populaire 'Burger-avondschool' (later de 'Industrie- en Handwerk-
school'). Logeman is dus een invloedrijk docent die zo ongeveer bij
alle middelbare onderwijsinstellingen in Haarlem betrokken is. In
het voorjaar van 1880 staat hij op het lesrooster voor natuurkunde-
lessen aan de vierde en vijfde klas van het gymnasium, dan de hoogste
klassen.[86]
Logeman is een begenadigd en invloedrijk spreker in het openbaar.
Als voorzitter brengt hij de Vereniging 'Weten en Werken', een voor-
loper van de volksuniversiteit, tot bloei, met reeksen publrekslezingen.
Deze vereniging is in 1856 opgericht op initiatief van John Waterloo
Wilson (1815-1883), een Haarlemse industrieel van Engelse afkomst
die getrouwd is met de burgemeestersdochter Wilhelmina Christina
van Valkenburg. 'Weten en Werken' heeft tot doel 'een poging te doen
om nuttige kennis onder den nijveren handwerkstand te bevorderen,
in het oog houdende de nog min gunstige ontwikkeling van die stand,
begrijpt men bovenal zich te moeten bepalen tot eenvoudig, duidelijk
en hoogst bevattelijk onderrigt en teregtwijzing'.[87] Het vijfmans-
bestuur wordt op 8 december geïnstalleerd, en naast Wilson neemt
ook Logeman in het bestuur plaats. Als Wilson in 1883 overlijdt, prijst
Logeman hem uitvoerig bij zijn openingsrede van het nieuwe seizoen
van 'Weten en Werken'.
Deze Willem Martinus Logeman lijkt ons een uitstekende kandidaat

Willem Sijbrand Logeman rond 1906, in zijn positie als 'honorary Librarian' aan de Universiteit van Kaapstad. Bron: www.lib.uct.za/lib/history. http://www.lib.uct.ac.za/lib/history#sthash.QY6p9zM9.dpuf

voor de 'lector' die begin 1880 zijn Haarlemse leerlingen aanzet tot een 'dispuutclub'. Dat lijkt ons des te waarschijnlijker omdat hij nog meer op zijn geweten heeft.

In de kleine twee weken van 30 december 1873 tot 10 januari 1874 bevat *Het Nieuws van den Dag* meermaals dezelfde advertentie voor een 'Engelsch Kostschool voor Jongeheeren', gerund door 'G. Fawcett, Conway, noord Wales, Engeland', en 'Voorloopige informatiën te verkrijgen bij den Heer W.M. Logeman, Leeraar aan de Hoogere Burgerschool te Haarlem.'[88] Logeman zal in Wales geweest zijn om de school te inspecteren, en enthousiast zijn geraakt; hij is graag contactpersoon. Maar dat enthousiasme blijkt nog veel verder te reiken.

Vanaf mei 1878 verschijnen in de Nederlandse kranten en in Indië in de *Java-bode* (daarin zelfs Engelstalig) wervende advertenties voor de 'Newton-School, kostschool voor jongens te Rockferry bij Liverpool, Direkteur Willem S. Logeman, Litt. Hum. Cand., lid van het "college of preceptors" te Londen. [...] Prospectus en andere inlichtingen te verkrijgen bij den Directeur en bij W.M. Logeman te Haarlem.'[89] Zoon Willem Sijbrand (1850-1933) is, met een kandidaats Letteren van de Universiteit Utrecht op zak en een lidmaatschap van het 'college' van Engelse onderwijzers, een eigen kostschool begonnen in Rock Ferry, tegenover Liverpool aan de Mersey op het Birkenhead schiereiland, zo'n 100 kilometer oostelijk van Conwy (destijds Conway), net over de Welsh-Engelse grens. Met zijn Newton-School richt hij zich, zowel met zijn lerarencorps als zijn leerlingen, op de Nederlandse,

Engelse en Franse markt, en prijst zijn gevarieerde curriculum als volgt aan: 'Ontwikkeling naar lichaam en geest door gezonde en degelijke voeding, wandelen en gymnastiek en door onderwijs dat zich in de allereerste plaats het scherpen van het oordeel en de opleiding ter zelfstandigheid ten doel stelt.' In het Engels: 'Corporal so well as mental development.'

De Newton-School aan Highfield Grove is een kleinschalige variant van het Noorthey-concept. Doelgroep zijn de beter gesitueerde jongeren die worden klaargestoomd voor een hogere vervolg-opleiding of een baan in de handel. Logeman is lokaal een joint venture aangegaan met William Woodhead, die net als Logeman de titel 'Principal' van Newton-School voert. Deze Woodhead is een ervaren plaatselijke onderwijsman, 'Medallist, Queen's Prizeman, and Diplomated Science Teacher of the Science and Art Department, South Kensington; and formerly of the High School, Liverpool Institute'. De advertenties geven aan dat Willem Jr. regelmatig in Nederland is voor het werven van leerlingen.

Vanaf 1880 wordt er in de krant niet meer geworven voor de Newton-School. Het instituut loopt in die jaren vanzelf vol met leerlingen, waarschijnlijk door mond-tot-mondreclame. Pas weer vanaf 1888 tot 1891 wordt er actief geworven. De fut raakt er bij Logeman dan kennelijk uit, want in 1892 blijkt het instituut in andere handen te zijn overgegaan. De *principal* is dan 'Mr. J. Wharfe King, B.A. Formerly Mr. W.S. Logeman'.

Het ligt voor de hand dat via vader Logeman, met als souffleur zijn af en toe in Nederland verblijvende zoon, het enthousiasme ontstaat van de Haarlemse gymnasiumleerlingen voor het onderwerp 'sport op school' voor een spreekbeurt in de dispuutclub – wat vervolgens leidt tot de oprichting van cricketclub Progress in het voorjaar van 1880.

## Bowler met rooie whiskers

Een tweede versie van de oprichting van Progress komt uit Muliers *Cricket*. In 1880 wordt in Haarlem, 'op aansporing van den Heer Wilson, employé ten kantore der Imperial Gaz Cy., een Engelschman, een vereeniging opgericht "Progress" genaamd'. Dit is dezelfde Wilson die in *Cricket* Mulier als bowler het leven zo zuur maakt. Hij komt ook nog eens ter sprake wanneer Mulier in 1933 terugkijkt: ''t Was in 't begin 'n heel ding om over dat gevoel: Hij is 'n Engelschman!!! heen te komen. In Haarlem was er 'n jongmensch, Wilson, bij de Imperial gasfabriek, die de eerste overhand bal bowlde. Hij had rooie whiskers, imponeerde daarmee énorm en bowlde ons als vliegen uit.'[90]

Mulier zegt niets over de Logeman-connectie, maar beide versies van de oprichting van Progress kunnen gemakkelijk worden gecombineerd. Logeman, of de Logemannen, hebben geholpen bij

het oprichten van de dispuutclub waarin sport als onderwerp werd
aangeroerd, en deze rood besnorde Wilson verzorgt vervolgens
'aansporing' bij de oprichting van de uit de spreekbeurt voort-
vloeiende cricketclub. Wic was deze Wilson, de gasman en kortstondig
schitterende wonderbowler?

De Imperial Continental Gaz Association is in 1824 in Londen
opgericht en ontwikkelt snel daarna activiteiten in Duitsland en
België. Al in 1825 begeeft hij zich op de Nederlandse markt, met de
eerste concessie in Rotterdam, waar vanaf 1835 de straatverlichting
wordt verzorgd. In 1834 volgt Amsterdam, met de overname van
de Amsterdamsche Pijp-Gaz Compagnie, en in 1836 is Haarlem de
derde stad; vanaf 1 januari 1837 worden de straten van de stad met gas
verlicht waarna winkels en particulieren volgen.[91]

De Nederlandse archieven van het bedrijf zijn helaas verloren gegaan.
Ook de entries 'The Netherlands' in het bedrijfsarchief in de London
Metropolitan Archives leveren geen personeelslijsten of andere stukken op aan de hand waarvan de werknemers van de Amsterdamse
en Haarlemse vestigingen geïdentificeerd kunnen worden. Maar uit
gegevens in het Noord-Hollands Archief blijkt dat op 24 maart 1880
een W.J. Wilson vanuit Engeland arriveert in Haarlem[92] en we zien
in hem een sterke kandidaat voor de gasman en geduchte cricketspeler in 1880-1881. Of de cricketverwijzingen daarna ophouden
omdat hij weer is vertrokken, is niet met zekerheid te zeggen. In
Nederland verliest het bedrijf in de jaren tachtig en negentig zijn
concessies. De I.C.G.A. berekent veelal hoge prijzen en staat vanwege
zijn streven naar plaatselijke monopolies in de hoofdstad bekend als Ik
Commandeer Geheel Amsterdam.[93] De gemeentes nemen dan overal
de gasvoorziening over.

Mogelijk is 'W.J.' een Engels lid van de, oorspronkelijk evenzo Engelse,
familie die in Haarlem van 1830 tot 1872 de befaamde Wilson textiel-
fabriek runt. De I.C.G.A. heeft zijn Haarlemse concessie binnen-
gehaald met hulp van de in Lancashire geboren industrieel Thomas
Wilson (1788-1867), die zijn katoenblekerij en -drukkerij na de
Belgische revolutie van 1830 uit Brussel naar Nederland verplaatst,
naar een vestiging aan de Leidsche Vaart in Haarlem – en dan bij
de gemeente aandringt op gas van de I.C.G.A., waar de gemeente
inderdaad op ingaat. Thomas' zoon, John Waterloo, die zijn vader als
directeur opvolgt, en als sociaal *angehaucht* industrieel in Haarlem
betrokken is bij de oprichting van de vereniging 'Weten en Werken',
heeft dezelfde initialen in omgekeerde volgorde.

### Cricket in 1879?
De meest recente bespreking van Muliers hoofdstuk over het
allervroegste Haarlemse cricket is die in Daniël Rewijks biografie

(2015). Hij geeft zelfs een bron waaruit zou blijken dat er al in 1879 clubcricket werd gespeeld, een jaar voor de oprichting van Progress, de cricketvereniging die als eerste van Haarlem te boek staat. Interessant als het waar is, omdat 1879 zo'n significant jaar is in de Haarlemse sport.

Jeugdherinneringen van de Haarlemmer Hendrik de Booy worden gepubliceerd in het *Haerlem Jaarboek 1967*.[94] Rewijk schrijft, met een ingebed citaat uit die herinneringen: 'Hendrik de Booy, twee jaar jonger dan Mulier en een leerling aan de H.B.S., speelde al in 1879 als twaalfjarige met Harry Westerveld in één van de clubjes. "Westerveld woonde met zijn familie in Engeland maar was met zijn zusters naar Holland gekomen om school te gaan. De kleuren van onze club waren zwart en geel; een petje en een das hadden deze kleuren en dat stond wel chic." Hendrik de Booys oudere broer Chrik had als marineman in Singapore Britse cricketers zien spelen en was van die Hollandse schooljongens niet erg onder de indruk.'

Henry 'Harry' Westerveld is in oktober 1866 geboren in Richmond, Surrey, nu onderdeel van 'Greater London'. Zijn ouders zijn de zaken-man Hendrik Christiaan Westerveld, die vanaf 1862 in Londen woont en werkt, en diens echtgenote, de Engelse Eliza Sharpe. Met deze Engelse achtergrond was Harry ongetwijfeld van jongsaf aan al een goede cricketer.[95]

Maar bij Rewijk is er sprake van een misinterpretatie. Vader Hendrik de Booy wordt geboren op 23 juni 1867, wat betekent dat hij tot halverwege 1880 twaalf jaar oud is, terwijl zoon De Booy zijn vaders leeftijd als 'een jaar of twaalf' doorgeeft, en dat is een stuk minder precies dan 'twaalfjarige'. In het online 'Archief de Booy' staan de oorspronkelijke jeugdherinneringen,[96] zodat we kunnen terugvinden dat de betreffende passage begint met 'In 1880 had ik de lagere school verlaten en was ik toegelaten tot de Burgerschool.' Verder schrijft vader de Booy: 'Ik geloof dat ik in deze tijd met een jongen Westerveld een cricketclub oprichtte', en: 'Wij bestonden reeds voor de oprichting van Rood en Wit.' Dat impliceert een oprichtingsdatum van deze club tussen juli 1880 en juni 1881, vermoedelijk eerder vroeger dan later. Gezien de clubkleuren gaat het hier om Eendracht, een cricketver-eniging met inderdaad de kleuren zwart en geel. Volgens Mulier beginnen zij in de loop van 1881 wedstrijden te spelen, na het voor-afgaande jaar te hebben besteed aan onderlinge oefenpartijtjes. Het is bovendien aannemelijk dat Harry's overkomst uit Engeland, en die van zijn zusters en broer Herman, te maken heeft met het overlijden van hun moeder in 1877 en van hun vader op 19 mei 1880, en dus pas ná dat laatste sterfgeval plaatsvindt.

De naam De Booy ontbreekt in Muliers *Cricket*. Westerveld komt erin voor als een van de oprichters van Progress in 1880, wat erop duidt

DE ONDERGETEEKENDE HEEFT DE EER UED. MEE TE DEELEN DAT HIJ DEN WENSCH KOESTERT, IN UED'S CLUB: ROOD-WIT, ALS WERKEND LID IN TE TREDEN, EN STELT ZICH VAN NU AF BESCHIKBAAR VOOR BALLOTAGE

dat hij in de loop van dat jaar die club verruilt voor Eendracht, iets dat volgens Mulier wel vaker voorkwam. Vervolgens, als in april-mei 1882 Eendracht wordt opgeheven, melden Rood en Wit-archiefstukken verheugd: 'Nu hebben de twee beste spelers dier club, de Heeren Harry en Herman Westerveld, den wensch te kennen gegeven, als lid tot "Rood en Wit" toe te treden.' Er wordt met algemene stemmen goed gevonden dat de broers direct lid worden, zonder 'voorgehangen' (geballoteerd) te worden en vooraf vier keer mee te moeten spelen. Onze conclusie is dat het jaartal 1879 voor een clubcricket in Haarlem uit de 'jeugdherinneringen van De Booy' niet is af te leiden.

**Rood en Wit wedstrijdclub**
Rood en Wit, formeel opgericht in juni 1881, speelt wedstrijden vanaf het najaar van 1883. Op 18 augustus is de eerste een 'interstedelijke', uit tegen de Hilversumsche Cricket Club op landgoed Vogelenzang. Er wordt met ruime cijfers gewonnen. Op 16 september speelt Progress in Den Haag tegen H.C.C., waarbij het opnieuw ruime verlies de zwanenzang van de Haarlemmers blijkt te zijn en Rood en Wit als de grote Haarlemse cricketclub overblijft.

Mulier, die na het instorten van Rood en Zwart begin 1882 geen wedstrijdcricketer meer is geweest, verzoekt om lidmaatschap in een briefje van 5 juli 1884: 'De ondergeteekende heeft de eer Ued. Mee te deelen dat hij den wensch koestert, in Ued's Club: Rood & Wit, als werkend lid in te treden, en stelt zich van nu af beschikbaar voor ballotage.'[97] Hij heeft daarvoor wel iets opzij moeten zetten, want hij zal terechtkomen in een aanzienlijk gestructureerdere bestuurs-cultuur: 'Mijne groote vrinden Job en Piet Posthuma waren heelemaal niet ernstig, schopten deftige vergaderingen in de war, vonden "Pleytekees" en Felix du Rieu te gedegen te serieus en ook Tasman te braaf, te oppassend en zoo. Deze ernstige, veelbelovende jongeren wonnen het echter van ons. Natuurlijk!'[98]

Maar hij realiseert zich ongetwijfeld ook dat hij veel kan bewerk-stelligen onder de paraplu van het gedegen georganiseerde Rood en Wit. Hij wordt, negentien jaar oud, lid nummer 49, ingeschreven op 14 juli 1884.[99] Op zijn eerste algemene vergadering, op 19 juli, komt hij halverwege de avond binnen: 'De Pres. wil hem aan verscheidene leden voorstellen, wat evenwel onnoodig blijkt, daar genoemde heer reeds aan de aanwezigen bekend is.'[100] Waarom verbaast ons dat niet?

Op 7 en 8 augustus speelt Mulier al mee in een dubbelwedstrijd tegen de Engelse Tonbridge Rovers, die een tournee maken door Nederland. Daarin laat Rood en Wit, zo schrijft president Cornelis Marinus 'Kees' Pleyte d'Ailly – 'Pleytekees' volgens Mulier – in het jaarverslag over 1884-1885, 'zich zoo ongezouten klop geven dat alleen de gedachte aan zulk een pak slaag een mensch de koorts op het lijf zou jagen': 170-92

Omslag van Pim Muliers *Cricket* uit 1897.

en 174-65.[101] En op 10 augustus, aldus *Cricket*, 'toog R. en Wit weder
ten strijde en wel op de Kleverlaan tegen de Hilvers. C.C., Hilvers.
C.C. 22+20, R. en Wit 40+38 voor 4 w. (Pleyte 21) Beets en ik bowlden.
Wij verdienden een medalje en een krans voor deze overwinning.'
Volgens Mulier had Rood en Wit in Abraham 'Bram' Beets en Jan Willem Schiff 'een paar uitstekende onderhandsche bowlers, [zij] hadden
het spel geleerd op de kostschool te Oirschot, waar het spel omstreeks
78 tot de uitspanningen der leerlingen begon te behooren.'[102] De
kostschool in kwestie moet het gerenommeerde instituut van J.N.G.
Söhngen zijn, op landgoed Groot Bijsterveld.[103] Ook daar werden dus
Haarlemse cricketers gekweekt. Op 14 september 1884 speelt Rood
en Wit de returnwedstrijd voor dat jaar tegen en in Hilversum, die
de thuisclub ruim in twee innings wint. Het is, zegt Mulier, de 'eerste
match die "Rood en Wit" tegen een Hollandsche Club verloor'.[104]
Maar er is geen teken dat hij erbij aanwezig was en hoe dat komt, blijkt
beneden.

Rood en Wit heeft vanaf 1885 een landelijk vooraanstaande speler
in huis. Op 23 augustus wordt in Den Haag, naar het voorbeeld van
de Engelse *county*-wedstrijden, de eerste interprovinciale match
gehouden tussen Noord- en Zuid-Holland. Rood en Wit'er Arthur
Frederick Pierpoint Hayman is niet alleen 'matchcaptain' van Noord
Holland, maar ook lid van een triumviraat van meespelende keuze-

heren, met De Bruijn van het Amsterdamse 'R.U.N.' en Blijdenstein van Hilversum. De overige spelers zijn Emilius Albertus Hoeffelman, Kees Pleyte, Pieter en Carstjan Posthuma en Willem Schiff van Rood en Wit, Taylor van de Hilversumsche C.C., en Floris Arntzenius en Strengnaerts van R.U.N. Amsterdam. De zuiderlingen, met een team van Hagenezen uit H.C.C. en Olympia en een speler van de Delftsche Cricket Club, winnen met 19 runs.[105] Tijdens de returnmatch in Haarlem, op 20 september op het veld 'bij Huis ter Kleef', zijn de Rood en Wit'ers Pieter Posthuma en Willem Schiff vervangen door de Amsterdammer J. Déking Dura van 'Amst. Machin. C.C.' en Harry Westerveld van Rood en Wit. Zuid-Holland behaalt een grote overwinning, met 86 tegen 87 runs voor 5 wickets in twee innings.[106]

Een jaar later, op 12 september 1886, vindt er in Den Haag opnieuw een wedstrijd plaats tussen selectieteams, van 'eenige hier wonende Engelschen'[107] tegen een Hollandse combinatie. De Hollanders winnen met duidelijke cijfers: 85 tegen 51 in twee innings. De grote scoorders zijn de Rood en Wit'ers Kees Pleyte en Carstjan Posthuma, met respectievelijk 11 en 15 punten. Captain-keuzeheer van het Nederlandse team is Dirk Koster van het Haagse Concordia, de landelijk sterkste club rond deze tijd. Hij selecteert negen Hagenaars van Concordia, H.C.C. en Olympia, plus twee Haarlemmers.

Het is door deze wedstrijd dat voor het eerst een reeks namen van in Nederland verblijvende Engelse cricketers bekend wordt. Ze hebben moeite hun team bij elkaar te krijgen en komen uiteindelijk maar tot negen man: Avent, Bail[e]y, May, Paramor, Quill, Rix en W[h]ichcord, aangevuld met de Haarlemse Engelsman Arthur Hayman en de Hagenaar Edward Bernard Koster, docent 'Oude Talen' aan Instituut Schreuders en speler (later: president) van de Noordwijksche Cricket Club. Koster is dus geworven door een oude bekende: John Joseph Helsdon Rix, de jonge Engelse leraar die in 1878 op Noorthey voetbal invoerde, maar vanaf september 1882 verbonden is aan Schreuders.[108]

Op 3 oktober wordt de return gespeeld. Nu wint hetzelfde Hollandse team afgetekend, met 151 tegen 47 runs; Pleyte scoort weer fors, met 28 runs. De Engelsen hebben Johnstone en Spiller als extra spelers weten te recruteren, en spelen weer met Hayman en Harry Westerveld. Captain van hun team is – uiteraard, zouden we haast zeggen – 'J. Rix'.

## Cricketverenigingen 1881-1882
De Haarlemse situatie met zijn vele clubs en clubjes is misschien uitzonderlijk in zijn omvang, maar cricket is hoe dan ook razendsnel populair aan het worden onder de Nederlandse jeugd, met de nadruk op elitejeugd. Sterker nog, het is bij hen een rage. Mulier geeft in *Cricket* een overzicht van hem bekende vroege cricketclubs

1881-1882 in den lande,[109] met een dermate grote gedetailleerdheid dat hij duidelijk bron(nen) naast zich op zijn bureau moet hebben liggen: achtereenvolgende afleveringen van de *Gymnasten-Almanak* voor de jaren 1883-1885 en de afsplitsing daarvan zonder gymnastiek, de *Sport-Almanak*, voor 1886-1887.[110] Hij volgt daarbij geen strikt chronologisch systeem, dat we hier dus zelf maar invoeren; de boven al genoemde verenigingen 1875-1881 geven we niet nogmaals weer.

– In oktober 1881: de 'Haagsche Cricket Club 'Olympia', 'opgericht door eenige cordate mannen, allen 13 of 14 jaar oud'.
– 17 november 1881: de 'Rotterdamsche Cricket Club', 'welke club zich echter [aanvankelijk] tot onderlinge wedstrijden bepaalde en eerst in 83 wat meer op den voorgrond trad'.
– 8 december 1881: de 'Delftsche Cricket Club'.
– 28 februari 1882: de 'Doesburgsche Cricket Club'.
– 20 maart 1882: de 'Amsterdamsche Cricketclub Run', met als oprichter en eerste voorzitter Herman Gorter, 'thans als letterkundige zoo wel bekend'; speelt in het Vondelpark.
– 25 maart 1882: de 'Amsterdamsche Cricket- en Footballclub "Sport"', spelend in het Vondelpark, met als captain Henk Sillem, zoon van de eerder genoemde Johann Gottlieb 'John' Sillem, en zelf op Noorthey tussen 1879 en 1881. '"Sport" was een zeer chique club. Het materieel, de inrichting, de ontvangsten en feestmaaltijden waren steeds "up to date" [...] In het edele spel zelf blonk "Sport" minder uit, daar er niet zeer trouw geoefend werd.'
– 22 april 1882: de 'Utrechtsche Cricket Club Hercules', opgericht door leerlingen van het plaatselijke gymnasium.
– 26 april 1882: de Utrechtsche Cricket Club 'Spherinda', opgericht door oudere gymnasiasten.
– 1 mei 1882 in Haarlem: Cricket en Football club 'Volharding'; speelt aan de Middelweg bij de Kleverlaan.
– 6 mei 1882: in Apeldoorn de vereniging 'Robur et Velocitas'.
– September 1882: de 'Noordwijksche Cricket Club', opgericht op het Instituut Schreuders aldaar (met als captain leraar Helsdon Rix).
– 23 oktober 1882: de 'Beverwijksche Cricket Club Hercules', opgericht door een oud-lid van Rood en Zwart, N. Boon.; 'laat het hoofdje hangen' in 1884.

Het is goed te bedenken dat het hier gaat om oprichtingsdata, niet om momenten waarop door de leden voor het eerst bat en bal werden gehanteerd, noch om data waarna al onmiddellijk wedstrijden werden gespeeld; de meest geschikte omschrijving is: geformaliseerd oefenen, met – meestal – als doel tot wedstrijden te komen.
In twee gevallen geeft Mulier zowel cricket als 'football' voor de door

deze clubs beoefende sporten, maar met beide is iets aan de hand.
In het geval van de Amsterdamse vereniging "Sport" noemt hij,
schrijvend in 1897, de voor hem meest *recente* situatie: deze vereniging
heet Amsterdamsche Cricket-Club "Sport" in de *Almanak* van 1884,
wordt in 1885 niet genoemd en heet voor het eerst Amsterdamsche
Cricket- en Footballclub "Sport" in de *Almanak* van 1886; dat laatste is
wat hij opschrijft.

Dit gaat nog een stap verder bij de vereniging 'Volharding' uit
Haarlem. Deze club figureert in de *Almanakken* alleen in 1885 als
'Opgericht 1881', en dan zonder Muliers toevoeging 'Cricket- en
Football club'. Het *Haarlemsch Advertentieblad* vermeldt dat eind
september 1884 'Volharding' op De Koekamp een ruime overwinning
behaalt op de Beverwijksche Cricketclub en Mulier geeft deelname in
mei 1885 aan een crickettoernooi in Haarlem. Maar de club heeft dan
al acute veldproblemen en Mulier schrijft dat tenslotte in 1886 'einde
Mei Volharding zich in R[ood] en W[it] oplost'.[111] In Muliers *Athletiek
en Voetbal* noch elders komt deze club met voetbal voor.

De Haarlemse cricketclub 'Excelsior' wordt soms gegeven als opgericht
in 1882,[112] maar Mulier geeft als oprichtingsdatum 27 april 1883; hij
valt daarom buiten de lijst. De club heeft overigens wel vanaf 1888
voetbal gespeeld, tot aan het opheffen in 1890.

De Hilversumsche Cricket Club zou volgens Mulier opgericht zijn in
1882. Dat is een merkwaardige antedatering. De *Almanak 1884* geeft
1 juni 1883, een datum die ook wordt genoemd op de website van de
club. Dit correspondeert met gegevens van de eerste wedstrijd op 18
augustus 1883 tegen Rood en Wit, waarin Mulier niet meedoet, omdat
hij nog geen lid is. Ondanks de grote nederlaag worden in de kranten-
verslagen de Hilversummers toch geprezen, het gaat immers om
'de nog zeer jeugdige *Hilversumsche Cricket-Club*' en 'de eerst sinds
eenige maanden opg[e]richte jongere club'.[113]

Mulier noemt in *Cricket* de 'Delftsche Cricket Club' vanaf 1884 als lid
van de cricketbond; de oprichtingsdatum voegen we hier toe uit de
*Almanakken*.

### Hollandia – opnieuw een docenten-connectie?

Tenslotte heeft Mulier nog een verrassing in petto. In passages van
*Cricket* die naar ons beste weten nog niet eerder zijn opgemerkt,
schrijft hij: 'In ditzelfde jaar 1882 wordt er in Leiden, op initiatief
van een paar leeraars der H.B. school een cricket club opgericht
"Hollandia" geheeten. Het doel was oorspronkelijk voetbal en de
leeraars speelden druk mede, doch dit laatste spel werd spoedig
gestaakt, daar de bodem te drassig was, doch in het volgende jaar
werden de cricketplannen doorgezet en ook dat spel gespeeld',
gevolgd door: 'In 1883 begint de C.C. 'Hollandia' te Leiden (reeds

genoemd) hare oefeningen, doch van haar ging weinig kracht uit en zij kwijnde weldra, te meer toen den 7den Maart 1883 tevens de Leidsche Studenten C.C. werd opgericht.' Uiteindelijk gaat de club ten onder aan de grote plaatselijke concurrentie: 'Hollandia vereenigt zich den 8[n] [Juni 1886] met de L.C.C. "Sixteen"', een op 7 april 1884 opgerichte Leidse gymnasiastenclub.[40]

Het is niet moeilijk hier opnieuw een Noorthey-connectie te vermoeden, voor zowel voetbal als cricket – maar moeilijker is de vraag: wélke dan? Mogelijk zijn de Noortheyse directeurszoons, de gebroeders Kramers, ook hier actief, als Leidse studenten. Of is er betrokkenheid van Gualtherus Jacob Dozy (1841-1922) die we tegenkomen als H.B.S.-leraar in Leiden tussen 1879 en 1883, maar die eerder docent was op Instituut Schreuders in 1862-1863. Hoe het ook zij, het laatste levensteken van Hollandia is een cricketwedstrijd op 5 oktober 1884 op De Koekamp in Haarlem tegen het plaatselijke De Vooruitgang; de thuisclub verplettert de tegenstander met 136 tegen 19 runs. Intussen is deze vermelding van georganiseerd voetbal in 1882 in Leiden, hoe kortstondig ook dat ook gebeurde, de moeite van het observeren en onthouden waard.

V

# BALLEN IN HET VONDELSPARK

## Hoe oud-Noortheyenaars de A.C.C. "Sport" kapen

De kleine week die begint met 20 en eindigt op 25 maart 1882 is een vroege mijlpaal in de Amsterdamse sportgeschiedenis. Eerst wordt er de Amsterdamsche Cricket-Club R.U.N. opgericht, op initiatief van de 17-jarige gymnasiast en latere dichter Herman Gorter,[115] en op 25 maart de Amsterdamsche Cricket-Club "Sport". Het eerst bekende bestuur van R.U.N., genoemd in de *Gymnastenalmanak 1884*, bestaat uit de leeftijdsgenoten Gorter (president), Willem Jonker (secretaris) en Egbert Jan Bok (penningmeester). Een jaar later is Jonker vervangen door Hendrik Jacob 'Jaap' Koenen.[116]

Het eerst bekende bestuur van de Amsterdamsche Cricket-Club "Sport" heeft in de *Gymnastenalmanak 1884* de samenstelling: Jonkheer Hendrik Daniël Wijnand Hooft (president), Jacob van Schevichaven (secretaris), Bernhard Heinrich Schröder (penningmeester), en Pieter Florentius Nicolaas Jacobus 'Floris' of 'Floor' Arntzenius en een verder onbekende Philips ('captains').
In de *Sportalmanak 1886* heeft de vereniging de nieuwe, uitgebreidere naam Cricket- en Footballclub "Sport" en is er nieuw bestuurlijk bloed ingestroomd: Van Schevichaven (voorzitter), François Gérard 'Frans' Waller (secretaris), Ernest Mercier (penningmeester) en Henk Sillem (captain). Jonkheer Hooft is weliswaar nog erevoorzitter, maar zijn werkelijke functie is voorzitter van de op 17 november 1885 opgerichte Lawn-Tennisclub "Sport", waar hij het bestuur vormt met Frans Waller als secretaris-penningmeester en ex-Noortheyenaar Daan Wolterbeek als mede-bestuurder.[117]
Volgens de *Sportalmanak 1887*, dus waarschijnlijk al in 1886, bestaat het bestuur van de Cricket- en Footballclub "Sport" uit Jonkheer Hooft (president), Cornelis van Eeghen (secretaris), Daan Wolterbeek (penningmeester) en Henk Sillem (captain); en dat van de Lawn Tennis-club uit: Hooft (president), Van Eeghen (secretaris-penningmeester) en Wolterbeek (mede-bestuurder). Het is een combinatie van deze besturen, die Mulier in zijn overzicht in *Cricket* vermeldt

Het Museumplein in Amsterdam, met links de Van Baerlestraat en rechts de achtergevels van de P.C. Hooftstraat. Staand naast het net van de tennisbaan, derde van links: dichter Herman Gorter. Staand, tweede van rechts: schilder Floris Arntzenius, cricketspeler bij "Sport" en "R.U.N.", en staand, eerste van rechts: Willem Jonker. Collectie Stadsarchief Amsterdam.

onder de clubnaam 'Amsterdamsche Cricket- en Footballclub "Sport"', opgericht in 1882 – een anachronistische aanpassing.

Tussen de leden van de genoemde besturen van R.U.N. en "Sport" bestaan nauwe relaties in de persoonlijke sfeer. De drie R.U.N.'ers Gorter, Bok en Koenen zijn op het Amsterdams Stedelijk Gymnasium schoolgenoten van Frans Waller en Henk Sillem. In het schooljaar 1881-1882 zitten Gorter, Jonker en Bok in de vijfde klas, en Koenen in de derde, samen met Henk Sillem, die na zijn Noorthey-tijd in december 1881 op deze school is ingestroomd.[118]

Als studenten aan de Gemeente Universiteit van Amsterdam zijn Gorter, Koenen en Van Schevichaven vanaf 1883 alle drie lid van het vermaarde 'Westersch literarisch gezelschap Unica'. Van Schevichaven is in 1886 student rechten aan de UvA en quaestor van het Amsterdamsch Studenten Corps; later wordt hij schrijver, en produceert hij onder het pseudoniem 'Ivans' 44 detectiveromans. Jaap Koenen wordt er rector van het studentencorps en oprichter van het tijdschrift *Propria Cures*.[119]

Herman Gorters één jaar oudere broer Douwe is verloofd met Willem Jonkers zus Jo als hij in 1892 overlijdt, als jonge arts in dienst van het 'krankzinnigengesticht' Meerenberg bij Bloemendaal. Herman zelf trouwt in 1890 met 'Wies' Cnoop Koopmans, een Haarlemse patriciërsdochter. Haar broer Wopco (advocaat-procureur in Amsterdam) trouwt in 1892 met Petronella Alida 'Ada' Wolterbeek, een zus van Daan en Jaap, twee Noortheyenaars uit de periode van de invoering op dat instituut van het voetbal, in 1878-1882. Jacob Cornelis 'Jaap' Wolterbeek (1863-1939) wordt in Amsterdam makelaar in tabak en trouwt met Petronella Clasina 'Nel' van Eeghen, een achternicht van Cornelis van Eeghen, het bestuurslid van de Amsterdamsche Cricket-Club "Sport".
Tot zover de voorbeelden van dit waarlijk indrukwekkende netwerk, waarvan dit ongetwijfeld nog maar het topje van de ijsberg is.

**Het Amsterdamse "Sport"**
De bestuurdersgroep van "Sport" met namen als Waller, Sillem en Wolterbeek in de *Sportalmanak 1886* verschilt opvallend van die daarvoor, net als de naam van de vereniging, hoewel dat alles onder hetzelfde voorzitterschap valt van Jonkheer Hendrik Daniël Wijnand Hooft (1865-1917), een lid van een groot en fameus Amsterdams regentengeslacht met als vroege telg de Renaissance literator-historicus Pieter Corneliszoon Hooft. Het is alsof een groep jongens de vereniging 'kaapt' van het oude bestuur, met daarin een belang-rijke rol voor oud-Noortheyenaars. De aanvullende informatie in de *Gymnastenalmanak 1884* is summier: de club heeft 21 werkende leden en de oefendagen zijn op zondag en dinsdag in het Amsterdamse Vondelpark; Gorters R.U.N. oefent daar ook op zondag en woensdag. De *Sportalmanakken 1886* en *1887* vertellen meer.
"Sport" heeft de clubkleuren rood-zwart ('die van de gemeente'), en oefent op zondag-, woensdag- en zaterdagmiddag.[120] Als oefenings-dagen van de tennistak vermeldt de *Sportalmanak 1886*: 'Maandag en Woensdag van 8-10 uur voor Heeren en Damesleden; Donderdag-middag voor Damesleden en Zondagmorgen voor Heeren.' Het tennis is vanaf de oprichting meteen populair, want er zijn volgens de *Sportalmanak 1886* dertig werkende leden, waar de cricket- en voetbalafdeling er zeventien heeft.[121] Dat heeft ongetwijfeld te maken met het feit dat er eindelijk een Engelse sport is waar dames ook aan mogen meedoen.[122]
De organisatie van de sportactiviteiten in het Vondelpark is in handen van de Algemeene Olympia Vereeniging, in maart 1883 in Krasnapolsky opgericht. Deze heeft aanvankelijk ten doel om vooral gymnastiek een prominentere plek in de opvoeding van jongeren te geven, maar realiseert vanaf 1885, in samenwerking met

Het Amsterdamse Concertgebouw rond 1887-1888, met daarvoor de houten tribune van de paardenrenbaan, in 1885 aangelegd. Ook te zien: de 'toboggan'-baan en enorme grasvelden waarop gecricket en gevoetbald kon worden. Tekening door Henriëtte Wilhelmina Beijerinck (1847-1937), gemaakt vanaf haar adres Ruysdaelkade 39. Bron: Stadsarchief Amsterdam.

de Amsterdamsche Sport Club (A.S.C.), een veel groter sportterrein 'achter het Rijksmuseum', in een tot dan toe 'landelijk poldergebied in Amsterdam-Zuid, dat de gemeente in ontwikkeling wil brengen'.[123] Het wordt gebruikt voor kaatsen, kastie, turnen, lawntennis, cricket, voetbal, paardenrennen, baanwielrennen en schaatsen. Herman Gorter gaat er cricket spelen met R.U.N.

Op 29 mei 1886 meldt het *Algemeen Handelsblad* dat er op het Museumterrein één groot cricketveld is voor matches, en 'zeven velden, waarop verschillende cricketclubs zich oefenen, en twee lawntennisbanen met loodsje, die aan een aantal clubs verhuurd worden tegen een vaste som 's jaars, welke ongeveer de kosten van aanleg en onderhoud dekt'.[124] De zestien cricketclubs die onder het 'beschermheerschap' van Olympia staan, worden genoemd in de *Sportalmanak 1886*. De clubs zijn van een bescheiden omvang: Oefening en Volharding met 36 leden, Quick met 30, R.U.N. 28, K.O.M. 22, Amstels Cricket-Club 21, B.A.T. 17, Balspelers 20, Victoria 17, Claudius Civilis 15, Thor 15, Strong 14, Vlugheid en Kracht 13, Vlugheid 13, Wilhelmina 13, Excelsior 10 en Hollandia 6.[125] Volgens de *Sportalmanak 1887* maken negen verenigingen gebruik van het gymnastiekterrein en zijn de lawntennisvelden vast verhuurd aan vijf clubs.[126]
"Sport" ontbreekt in de lijst van Olympia-clubs die cricket spelen op de nieuwe faciliteit op het Museumterrein; de club speelt (of oefent in elk geval) nog in het Vondelpark.

**"Sport" als wedstrijdclub**
"Sport" behoort tot de verenigingen die in september 1883 in Utrecht de Nederlandsche Cricket Bond oprichten. Ook de Amsterdamse clubs R.U.N. en Quick zijn hierbij betrokken. In het archief van Rood en Wit in het Noord-Hollands Archief in Haarlem bevinden zich diverse matchuitnodigingskaarten – gedateerd vanaf het najaar van 1883 – waarin het Vondelpark als wedstrijdlocatie wordt voorgesteld, ondertekend namens de cricketafdeling van "Sport" door Hooft, Van Schevichaven, Waller of Sillem.
Jacob van Schevichaven schrijft op 17 september 1883 een briefje, waarin hij 'namens het Bestuur' Rood en Wit uitnodigt voor een vriendschappelijke ontmoeting in Amsterdam. Aangezien Rood en Wit kort daarvoor, op 19 augustus, zijn eerste wedstrijd buiten Haarlem heeft gespeeld – en gewonnen, tegen de Hilversumsche Cricket-club – concludeert "Sport" blijkbaar dat de Haarlemmers te porren zullen zijn voor nog zoiets, en bovendien is die ervaring ook goed voor de eigen gelederen. In het briefje noemt Van Schevichaven zijn vereniging 'Cricket-club "Sport"'.

Als Rood en Wit positief op de uitnodiging reageert, lanceert Van Schevichaven een voorstel: 'Ten 12 uur wenschten wij een aanvang te maken en denken na afloop gelegenheid te geven tot een gemeenschappelijk diner van medespelers en geïnviteerden (à f. 1,50 of 2,- p. couv.). Vriendelijk verzoek ik U mij de namen te willen opgeven van hen, die daaraan deel wenschen te nemen. 't Zal voorts noodig zijn vooraf een bijeenkomst van eenige afgevaardigden te houden ten einde over diverse onderwerpen te beraadslagen.' Deze eerste wedstrijd tussen "Sport" en Rood en Wit wordt op 14 oktober 1883 gespeeld op het veld in het Vondelpark. Rood en Wit wint daar na Hilversum ook zijn tweede uitwedstrijd, met 85 tegen 58 runs, 'welken wedstrijd ik mij nog levendig herinner', schrijft Mulier, en hij bedoelt vermoedelijk als toeschouwer of uit verhalen, want hij was nog geen lid van de Haarlemse club.[127]

Het lijkt er alleszins op dat "Sport" na een voortvarend begin inzakt en vervolgens, zoals hierboven al geconstateerd, met nieuw bestuursbloed in 1885 weer verfrist en wel zijn weg vervolgt. Op 14 mei wordt in Noordwijk gespeeld tegen de 'Noordwijksche C.C.', een wedstrijd waarin John J.H. Rix een gave *half-century* scoort, en op 28 juni in Hilversum tegen de Hilversumsche C.C. De thuisclub verslaat daar "Sport" in twee innings met 133-116. De Engelsen Spiller en Avent zijn de beste scoorders voor "Sport".[128] Laat in het seizoen op 4 oktober speelt "Sport" bij Rood en Wit in Haarlem 'bij het Huis ter Cleef', waar de Haarlemmers ruim winnen met 117 tegen 62 runs.
Ook in 1886 speelt "Sport" drie wedstrijden. De eerste keer op 3 juni op het Malieveld in Den Haag tegen H.C.C. Olympia; "Sport" wint, zij het nipt, met 70 tegen 65 runs. En dankzij aanzienlijke hulp, zoals blijkt uit het verslag in *Het Nieuws van den Dag*: 'Die overwinning had "Sport" vooral te danken aan het uitstekende spel van de "bowlers", de heeren Schr[ö]der, May, Lester, welke laatste, ofschoon "professionnal" cricketer, door "Olympia" vrijgevig was toegelaten, en van den Heer Avent als "wicketkeeper".' Paramor van Olympia verdient een bijzondere vermelding 'voor de behendige wijze waarop hij den professional Lester "uitving"'. Voor het eerst een Engelse prof bij een Nederlandse club; jammer genoeg is er over deze gastspeler niets naders te vinden, anders dan de voornaam Thomas.[129] Ook de returnmatch wordt gespeeld in Den Haag. Op 27 juni is Olympia veel sterker, met 84 tegen 59 runs.
Rood en Wit en "Sport" ontmoeten elkaar voor de derde keer, in Haarlem op 6 juni, weer 'op het terrein bij het Huis ter Kleef'. En opnieuw wint Rood en Wit dik, met 48 tegen 28 runs. Bijzonder nuttig is het verslag van deze match in het *Haarlemsch Advertentieblad*: de krant geeft de volledige opstellingen van beide teams.[130] Bij Rood en Wit spelen bekende namen: Kees Pleyte, Emilius Hoeffelman,

AMSTERDAM      Sportterrein in het Vondelpark

Dr. Trenkler Co., Leipzig. 1904. Ams. 15. Nachdruck verboten.

Sportterrein in het Vondelpark medio 1885-1886. Het grote gebouw tussen de bomen in het midden is de boerderij/melkerij. Het gebouw rechts wordt gebruikt als materiaalopslag en kleedkamer. Achter de 'gymnastische toestellen' bevinden zich de twee tennisbanen, en daar weer achter – afgebakend met een net – het cricketterrein. In het midden van het sportterrein een 'groep bomen' die de cricketclubs begin 1885 graag weggeruimd zien. Bron: privécollectie Theo Bollerman.


Carstjan en Piet Posthuma, Willem Schiff, Harry Westerveld, Arthur Hayman en Bram Beets; en nieuw: F. en A. Eyken, en H. van den Berg. Bij "Sport" bekende Amsterdammers als Hooft, Sillem, Wolterbeek, Waller en Schröder, drie inmiddels bekende Engelsen, Avent, May en Spiller, en de nieuwe namen Van Lennep en jonkheer Pierre Herbert Bicker, die beneden ook nog terugkomt in een voetbalfunctie. "Sport" had graag nog meer willen spelen, maar een wedstrijd tegen de Noord-wijksche Cricket-Club begin juni gaat niet door en een uitnodiging tot een returnmatch op 4 juli aan Rood en Wit wordt door die club afgeslagen.[131]

De uiteindelijke resultaten, zes maal verlies en eenmaal nipt winst met professionele hulp, geven Mulier gelijk als hij in *Cricket* concludeert: 'in het edele spel zelf blonk "Sport" minder uit'. Maar daaraan moet worden toegevoegd dat "Sport" in 1885-1886 altijd uit speelt. De oorzaak daarvan ligt in de slechte omstandigheden op het weiland in het Vondelpark. Op 7 april 1886 neemt Rood en Wit tijdens een bestuursvergadering een uitdaging van "Sport" tot het spelen van een match aan, maar alleen als de expliciete voorwaarde wordt vervuld 'dat er een onzijdig terrein zou worden aangewezen'.[132]

Herman Gorter schrijft in het najaar van 1885 namens R.U.N. een brief aan het parkbestuur, waarin hij de slechte omstandigheden schetst. De grond is moerassig en oneffen, en de bespeelbare ruimte niet al te uitgestrekt. Bovendien verdwijnen er geregeld behoorlijk prijzige cricketballen in de parkvijver. Gorter zou graag met R.U.N. naar het voormalig tentoonstellingsterrein op het Museumterrein verhuizen, maar zo lang dat nog niet kan, verzoekt hij het Vondelpark-bestuur zes in de weg staande bomen op het midden van het veld te laten kappen of verplaatsen.[133] Het bestuur weigert hem tegemoet te komen en R.U.N. verhuist alsnog naar het Museumterrein: bekijk het maar met je zompige weiland.

"Sport" intussen speelt na juni 1886 geen cricketwedstrijden meer, uit noch thuis.

### "Sport" als voetbalclub?

In de *Gymnastenalmanak* van 1884 staat "Sport" vermeld als Amster-damse cricketclub (opgericht in 1882). Voor 1885 ontbreekt informatie en in 1886 is het een club voor cricket én voetbal, met nog een aparte tak voor lawntennis. Tegelijkertijd hebben er meerdere bestuurlijke veranderingen plaatsgevonden. Betekent dit dat er in 1885-1886 uit het niets binnen de club wordt gevoetbald, met nieuwe mensen? Nee, natuurlijk niet. Henk Sillem en Daan Wolterbeek, respectievelijk 20 en 26 jaar oud in 1886, hebben al vóór 1880 op Noorthey gevoetbald, en zullen daar in Amsterdam niet mee zijn opgehouden. Eerder het tegendeel: ze zullen hun vrienden bij de nieuwe sport hebben betrokken. *Football* heeft dan een paar jaar lang een informeel karakter, in de vorm van een groepje gelijkgezinden dat onder elkaar tegen een balletje trapt. Rond 1885 ontstaat er dan blijkbaar de sterke behoefte zulks in clubverband te organiseren en formaliseren. Interessant blijft de vraag of er voor de 'formele' naamsuitbreiding van "Sport" in Amsterdam al werd gevoetbald. Daar zijn wel sterke aan-wijzingen voor. Van Horn wijst in '125 jaar voetbal in Nederland?' op het bestaan van reclamefolders van firma De Gruyter in het bedrijfs-archief in het Amsterdams Gemeentearchief. In zo'n brochure 1883-1884 komt het plaatje op pagina 54 voor.

In sommige folders van De Gruyter verschijnt een rugbybal. Maar de beneden uitgebeelde variant van 'football'-actie lijkt meer op voetbal dan op rugby, met actieve voeten en benen eerder dan handen en armen. Dit lijkt te betekenen dat deze Amsterdamse leverancier ter illustratie van het door hem aangeboden materiaal een plaatje met voetbal ook geschikt bevond (waarschijnlijk overgenomen uit een Engelse bron) omdat die variant in de directe omgeving van de zaak in Amsterdam werd gespeeld.

In juli 1885 verschijnt er in het *Algemeen Handelsblad* een lang (anoniem) artikel, dat als een vervolg kan worden gezien op de stukken van Van Tuyll uit 1878 en 1882, maar in een geheel andere

Afbeelding uit: Gruyter, F.A.L. de. *F.A.L. de Gruyter. Prijs-Courant voor 1883-1884.* Amsterdam, 27, Leidschestraat. [Amsterdam: De Gruyter], [1883].

toon is gesteld.[134] Er is in een paar jaar veel gebeurd. '[E]en gezond volk met gezonde begrippen, een volk, dat veerkracht heeft en geestkracht toont, krijgt ge niet zonder lichaamsbeweging en lichaamsoefening. Gelukkig heeft het bij ons te lande niet veel tijd gekost deze meening algemeen ingang te doen vinden.'

Zonder de plek te noemen, beschrijft de auteur wat men op een zondag in het Vondelpark zou kunnen tegenkomen: 'Hier snorren ze u voorbij op hun bevalligen rijwieler, daar doen ze een ranke boot vliegensvlug over het water glijden, ginds op het cricketveld vangen ze in vollen ren den bal, die omlaag schiet, of vliegen bij het football in een wedloop den bal na, die over den grond stuift. Iets verder ziet ge de dames en heeren op 't lawntennis-veld elkaar de zege betwisten.' Het Engelse woord 'football' kon in deze pionierstijd, ook voor de journalistiek, in het Nederlands zowel op voetbal ('association football') als op rugby slaan.[135] De gegeven beschrijving lijkt eerder op die van voetbal dan rugby, over de grond met de voeten en niet door de lucht met de handen. Voor de beoefenaars was er waarschijnlijk toch nog weinig tot geen verschil, of was het onderscheid simpelweg niet belangrijk. Maar dat het voetbal zich, vooral vanuit de (kost)scholen, steeds sneller verspreidt, is wel duidelijk.

# VI
# ALTIJD VOORMAN EN VOORBEELD
## Hoe Pim wel en niet in Haarlem is

### Niet bepaald een studiebol

Vroege jaren tachtig, Amsterdammers spelen voetbal. Niet allemaal, maar een clubje, en ongetwijfeld enthousiast. Maar wat gebeurt er intussen in Haarlem? We hebben de Spaarnestad cricketend verlaten. We richten ons vanaf hier op het voetbal aldaar. Vanwege Muliers legendarische betrokkenheid daarbij, beginnen we met een overzicht van waar hij wanneer verbleef tussen 1878 en 1886, tussen zijn dertiende en eenentwintigste jaar, zijn pubertijd en adolescentie als scholier en student. Details daarover zijn naar boven gebracht in monnikenwerk van Nico van Horn, gepubliceerd in twee artikelen in *de SPORTWERELD* van 2004, met aanvullingen van Daniël Rewijk in zijn dissertatie-biografie van 2015. Dit is het overzicht dat volgt uit hun werk.

- 1878-1880: 'Instituut Spaanschweerd' in Brummen, bij Zutphen in Gelderland.
- 1880-1882: Stedelijk Gymnasium in Haarlem.
- 1882-1883 (-1884?): 'Privaatschool voor jongeheeren', een kleine kostschool gevestigd in St. Leonard's House bij Ramsgate in Kent, de havenstad op het puntje van de Engelse zuidoostkust.
- 1884-1886: 'Praktisches Handelsinstitut' in de oude Hanzestad Lübeck aan de Oostzee.

De jaartallen sluiten keurig op elkaar aan, maar er is nog wel het een en ander aan toe te voegen en te corrigeren. Uit gegevens in het Bevolkingsregister van Haarlem blijkt dat Pim inderdaad op 6 september 1878 uit de stad is uitgeschreven, en naar Brummen verhuist; op 3 juli 1880 keert hij terug en schrijft hij zich weer in Haarlem in. Van Horn merkt op: 'Nergens heeft [Mulier] of hebben anderen gewag gemaakt van zijn twee jaar kostschool buiten Haarlem' in Brummen. En hij voegt daaraan toe dat, wat Mulier ook verder zegt, hij hooguit betrokken kan zijn geweest bij sportactiviteiten in Haarlem tijdens schoolvakanties, zoals 's zomers en rond de kerst, daarbuiten was dat 'fysiek onmogelijk'.[136]

Maar dat is wel erg stellig. Er is correspondentie bewaard gebleven van een Brummen-leerling van iets later dan Mulier, Adriaan Kerkhoven (1868-1944), een jongeman afkomstig uit Nederlands-Indië die in 1883 op dezelfde kostschool verbleef. In een overgeleverde brief schrijft zijn zus Pauline op 14 mei 1883 vanuit Arnhem, haar woonplaats, aan een vriendin in Amsterdam de laatste familienieuwtjes, waaronder: 'Adriaan is Zaterdag op zijn velocipède van Brummen hier gekomen. Wat een tocht, vind je niet?'[137]

Ruim dertig kilometer op de hoge bi, met zo'n allemachtig groot voorwiel, en dan maar trappen. Dat Pim eenzelfde voertuig bezat, weten we uit een van zijn latere nostalgische columns in *Het Vaderland* die hij onder het pseudoniem 'Pim Pernel' schreef: 'Ik heb [op kostschool] op zo'n klappermolen met Titanenbanden van zwaar ijzer gereden. Onnoemelijk zware trapkasten waren het, waarmee je de ruiten deed rinkelen als je voorbij kwam daveren.'[138] Tripjes tussendoor naar huis toe waren voor Brummense leerlingen, dus ook voor Pim, zeker wel mogelijk – langere periodes van afwezigheid op school uiteraard niet.

Een instituut als Brummen bereidt typisch voor op een vervolgopleiding, en Pim wordt dan ook in september 1880 toegelaten op het Stedelijk Gymnasium in Haarlem, in het tweede jaar. Voor deze periode heeft Van Horn opnieuw interessant materiaal boven water gekregen: 'Pim deed het beslist niet goed op school. In juni 1881 noteerde de rector bij zijn voorwaardelijke bevordering naar de derde klas: "...terwijl wegens voortdurende ongesteldheid sedert de wintervacantie de school niet is bezocht."' Een half jaar schoolvrij, vanwege een onduidelijke 'ongesteldheid'. Een deel van dit 'op-en-af'-gymnasiumjaar 1880-1881 is Pim ondergebracht bij Ludwig Friedrich Obermüller aan de Parklaan 36 in Haarlem.[139] Obermüller is dan al sinds de oprichting in 1864 leraar Duits op de plaatselijke H.B.S., maar ook hij kan Pim blijkbaar niet voldoende motiveren, terwijl hij toch als een ervaren en bekwaam docent bekendstaat.[140]

We hebben eerder gezien dat de 16-jarige Pim in de zomer van 1881 tot in oktober zijn debuut maakt als wedstrijdcricketer. Als hij aan het eind van het schooljaar 1881-1882 te horen krijgt dat hij een jaar moet doubleren, kapt hij ermee.[141] Zijn schooldossier vermeldt dan: 'Komt van de kostschool Spaanschweerd, dir. Pritzelwitz van der Horst. 1880, 2 sept. ingeschreven 2$^{de}$ klasse. 1881 11 juli bevorderd 3$^{de}$ klasse met taak geschiedenis. 1882 13 juli wordt niet bevorderd. 1882 sept. verlaat het gymn.'[142] Een taak voor geschiedenis: misschien heeft hij hier de precieze jaartallen van de Frans-Duitse oorlog gemist. Maar goed, hij heeft toen wel een alternatief gevonden voor de voortzetting van zijn opleiding. Van Horn ontdekte dat hij vanaf eind zomer 1882 leerling is op St. Leonard's College in Ramsgate aan de Engelse zuidoostkust. 'College' klinkt duurder dan het is, want het gaat om een klein

Pim Mulier, gefotografeerd door Herman Schwegerie
in Lübeck, 1885. Bron: *Gedenkboek H.F.C. 1919.*

internaat dat volgens Van Horn in 1881 'slechts dertien leerlingen'
telt.[143] Deze 'privaatschool' is opgezet door het Frans en Nederlands
sprekende echtpaar Guillaume en Ann Laurens. Uit kranten-
advertenties tussen 1879 en 1883 blijkt dat deze vanuit Rotterdam
opererende directeur Laurens een vergelijkbaar concept hanteert als
Willem Logemans Newton-School, met een directeur die drie maal
per jaar Nederland bezoekt om studenten te werven.[144] Het curriculum
bevat de moderne talen en 'vakken, noodig voor koophandel', zoals
boekhouden en handelsrekenen, wis- en natuurkunde, plus: muziek,
schilderen, tekenen en gymnastiek. 'Jongeheeren worden ten allen
tijde aangenomen. Slechts eene vacantie in het jaar (Zomer).'[145] De
'Nieuwen Cursus' 1882-1883 aan het 'Instituut voor Jongeheeren
te Ramsgate aan de Zee (Engeland)' vangt aan op 18 september
1882. Laurens laat via de krant op 1 en 5 september weten dat hij in
Nederland is om leerlingen aan te nemen.
Pim lijkt het wel wat, daar in Ramsgate.

## Mulier (af en toe) in Haarlem, 1882-1885

In overeensteming met Muliers verblijf in Ramsgate zijn er voor 1882-
1883 geen Nederlandse sportactiviteiten van hem bekend, uit *Cricket*
of welke andere bron dan ook. Biograaf Rewijk heeft zich er terecht
over verbaasd dat het niet is te achterhalen of hij uit Ramsgate is over-
gekomen voor wat toch een van de belangrijkste en meest emotionele
gebeurtenissen uit zijn tienerjaren moet zijn geweest. Hij is zeventien bij het overlijden van zijn vader Tjepke, op 24 februari 1883 in

Haarlem.[146] Je kunt in Engeland nergens dichter bij Nederland zijn dan in Ramsgate, maar toch: Mulier heeft er blijkbaar niets over geschreven, of er tenminste ergens kort iets over vermeld. Over het jaar 1883-1884 is er wel de nodige sportinformatie, die goed past in schoolvrije zomers, met één uitzondering, zie het overzicht hieronder:[147]

– 19 augustus 1883 – Hilversumsche C.C. tegen Rood en Wit, de Haarlemmers winnen afgetekend: 'Laat ik alleen dit zeggen: Er was schutterij-muziek.' Dit klinkt alsof Mulier erbij was, maar niet mee-speelde; hij is dan ook nog geen lid van Rood en Wit.
– 14 oktober 1883 – In Amsterdam, in het Vondelpark, "Sport" tegen Rood en Wit, de Haarlemmers winnen; Mulier schrijft alsof hij er bij was: 'welken wedstrijd ik mij nog levendig herinner'.
– juli 1884 – Lidmaatschapsbriefje aan Rood en Wit en aanwezig genoteerd op ledenvergadering.
– 7 en 8 augustus 1884 – In Haarlem, Rood en Wit tegen Tonbridge Rovers: 'Beets en schrijver werden toen als bowlers voor eens en voor goed geëclipseerd door een toen nog vrij onbekende C.J. Posthuma.' Mulier staat opgesteld en speelt dus mee.
– 10 augustus 1884 – In Haarlem, Rood en Wit tegen Hilversumsche C.C.; Mulier staat opgesteld: 'Beets en ik bowlden.'

De *odd one out* in deze data is 14 oktober 1883, Amsterdam. Er zijn andere interpretaties denkbaar, maar als zijn cryptische formulering ('welken wedstrijd ik mij nog levendig herinner') betekent dat hij er toen bij was, valt dat moeilijk in overeenstemming te brengen met het begin van het schooljaar in Ramsgate, ruim een maand eerder. En er zijn meer aanwijzingen voor dat hij na de zomer van 1883 niet naar Ramsgate is teruggekeerd. In het *Gedenkboek H.F.C. 1919* schrijft hij, in een passage over de bron van zijn kennis van het Engelse voetbal: '[…] in 1883 uit Engeland terugkeerende, waar ik een handelsschool afliep'. Bovendien wordt hij op 6 december 1883 in een bestuursvergadering van de IJsclub Haarlem en Omstreken geballoteerd als lid,[148] wat weinig zinvol zou zijn geweest als hij niet in Haarlem was om er gebruik van te maken.
In *Cricket* schrijft Mulier, in zijn uitleg dat sport goede techniek behoeft om niet gevaarlijk te zijn, het volgende: 'In 1884 zag ik op Lords een man bewusteloos wegdragen'.[149] Een goede reden om in de zomer van 1884 op Lord's te zijn, de befaamde *playground* van de Marylebone Cricket Club in West-Londen: de testmatch van Engeland tegen Australië op 21 juli. Mocht Mulier inderdaad zijn overgewipt om deze wedstrijd bij te wonen, dan zag hij hoe de Engelse captain W.G. Grace met een vingerblessure uitviel, waarover hij dan, wellicht met enige overdrijving, schrijft.
Juli 1884 valt in elk geval buiten de schoolperiodes, waar dan ook. In augustus dat jaar speelt hij nog wedstrijdcricket voor Rood en Wit,

maar in september niet meer: hij is dan afgereisd naar het 'Praktisches Handelsinstitut' in het Duitse Lübeck aan de Oostzee, een kleine school van directeur Rey, met rond deze tijd een leerling of tien.[150] Rewijk veronderstelt dat Mulier twee jaar in Lübeck heeft vertoefd, mede omdat er in 1885 drie Hollanders op de school stonden ingeschreven.[151] Maar hij kan er hooguit een kort jaar geweest zijn.[152]

Het *Gedenkboek H.F.C. 1919* is opgeleukt met biografietjes van prominente clubleden, en veruit de langste is natuurlijk dat van Mulier, geschreven door sporter-journalist Jan Feith.[153] Het is een bijdrage met directe relevantie voor Muliers *whereabouts* in 1885-1886. Feith geneert zich niet voor hagiografische aanprijzingen als: 'Hij was altijd voorman en voorbeeld; altijd ging er opwekking en distinctie van zijn leiderschap uit. Hij was fair als geen ander.' Enzovoort, en zo verder. Maar daarnaast bevat zijn stuk een lange selectie gegevens uit 'wat men zou kunnen noemen [Muliers] "Sportdagboek"'. De aantekeningen beginnen op 10 juli 1885 met hardlooptraining in de buurt van Haarlem en Amsterdam en eindigen op 26 juni 1891 met een wielertocht naar Hillegom. Ze gaan in het najaar van 1885 continu door, en in december 1885-januari 1886 meldt Mulier zelfs een verblijf van een kleine twee maanden in Zweden, waar 'ik woonde om Zweedsch, Noorsch, Deensch en IJslandsch te leeren [en] met Lapsche families in poolpakje' rondtrok; bij een van die tochten breekt hij zijn knieschijf, wat hem een tijdlang 'een manke poot' oplevert en de sporttraining verhindert.

Vanaf de zomer van 1885 slaat bij Mulier het sportvirus dus flink toe en begint hij aan een nieuw sportleven. Volgens het *Scoringboek 1885* van Rood en Wit staat hij opgesteld in een oefenpartij op 12 juli.[154] Dat is frappant, omdat zijn 'Sportdagboek' voor die dag ook vermeldt: '12 Juli 7000 Mr. 25 minuten 10 sec. [L]aatste 100 Mr. 21 seconden', een uitstekende tijd. Niet alleen sport hij actief, hij mengt zich ook fanatiek in discussies *over* sport. Twintig jaar oud openbaart zich hier de 'latere Pim Mulier'.

Op 1 september 1885 is hij nadrukkelijk aanwezig tijdens een discussie binnen Rood en Wit, wanneer tijdens de algemene vergadering zijn voorstel wordt behandeld om de club toe te laten treden tot de landelijke Cricketbond. Daarvan is Rood en Wit dan nog geen lid, omdat het bestuur het in 1883 opgestelde reglement ervan beoordeelde als 'zeer onvolledig, verward, onzinnig en bespottelijk'.[155] Lees: de bond was te Haags. De bijvoeglijke naamwoorden tekenen de toon van die discussie. Maar Muliers punt is nu: 'de handelingen van die afgevaardigden zijn toen goedgekeurd, doch niet door de leden die heden avond vergaderen en bijna allen [...] na dien tijd in de club zijn opgenomen'. Hij is een groot voorstander van landelijke samenwerking, en toetreding tot de bond wordt na 'hevige debatten' onder luid applaus aangenomen, met 14 tegen 3 stemmen.[156]

HIJ WAS ALTIJD
VOORMAN EN
VOORBEELD;
ALTIJD GING
ER OPWEKKING
EN DISTINCTIE
VAN ZIJN
LEIDERSCHAP
UIT. HIJ WAS
FAIR ALS GEEN
ANDER

En nog iets dergelijks. Gerbrand baron de Salis, een in 1851 in Chur, Zwitserland, geboren Amsterdamse zakenman, heeft hoge posities in de nationale sportwereld. Hij is voorzitter van de Amsterdamsche Sport Club, die actief is op het Museumterrein, en tweede secretaris van de schaatsbond. Namens deze bond is hij druk bezig het schaatsen op nationaal niveau te promoten, met ideeën over adequate training en over het ontwerpen van wedstrijdschaatsen. Mulier presenteert zich voor het eerst in de media met een stuk in *Nederlandsche Sport* van 5 december 1885, waarin hij De Salis wijsneuzerig op een aantal punten terecht-wijst.[157] Niettemin geeft hij ook later in een van zijn vele nostalgische terugblikken De Salis en de A.S.C. volledig krediet voor het organiseren van de eerste grote atletiekwedstrijden op het Museumterrein op 16 oktober 1886: dat 'De Salis en anderen dit in handen namen was een zegen!'[158] Belgische hardlopers voeren er de boventoon, maar Mulier wint de 350 meter. In *Wintersport* en *Athetiek en Voetbal* zal hij nog lange stukken aan sporttraining wijden.

### Pim en John Richard

Frappant is de overeenkomst tussen Muliers schoolloopbaan en die van John Richard Dickson Romijn. Beiden bezoeken vanuit het westen een zeer gerenommeerde kostschool in het oosten des lands. Pims Spaanschweerd, 'voor den aanzienlijken stand', wordt geleid door een directeur met de fraaie naam Balthazar Jan von Pritzelwitz van der Horst, die de school in 1873 van Apeldoorn naar Brummen heeft verplaatst. De school kent een breed curriculum en stelde zich ten doel 'den mensch in lichamelijken, geestelijken en vooral zedelijken zin tracht[en] te vormen'. De pedagogische uitgangspunten van Von Pritzelwitz van der Horst stemden overeen met die van De Raadt en Schreuders.'[159] Net zoals het Deventer onderwijs is gelieerd aan (direct) cricketclub Utile Dulci en (indirect) wielerclub Immer Weiter, is Brummen 24 kilometer verderop de thuishaven van Vélocipède Club 'Voorwaarts'. Al in 1872 en 1873 houden deze twee wielerclubs gezamenlijke tochten en onderlinge wedstrijden.

Zoals Van Horn en Rewijk constateren is Mulier in zijn werk, dat de persoonlijke invalshoek toch niet schuwt, uitermate onmededeelzaam over zijn verblijf in Brummen, maar het lijkt haast uitgesloten dat hij zich volledig heeft afgesloten van de Deventer-sportstad – slechts 18 kilometer verderop – en geen enkel verhaal zou hebben gehoord over die Engelsman-oprichter van U.D.

Zowel Dickson Romijn als Mulier vertrekt, na de Oost-Nederlandse kostschooltijd, tenslotte naar Engeland, zij het de een meteen en de ander na een intermezzo, en de een definitiever dan de ander.

# VII
# LUSTIG GESPEEL MET FEITEN
## Hoe het jaar 1879 een eigen leven gaat leiden

1879, 1881, 1882, ...
De eerste zin op de pagina 'Over de club' op de website van de
Koninklijke Haarlemsche Football Club luidt, in februari 2017:
'Pim Mulier richtte H.F.C. in 1879 op als een kwajongensclub.' De
implicatie daarvan is duidelijk: H.F.C. is de 'oudste voetbalvereniging
van Nederland', schrijft de clubvoorzitter in het voorwoord van de
jubileumuitgave van H.F.C. in 1989.[160] Men heeft het uit een goede
bron: 'de door schrijver in 1879 opgerichte H.F.C.', zegt Mulier zelf in
1897.

Het eerste opmerkelijke feit rond het jaartal 1879 is dat er nagenoeg
geen andere contemporaine bronnen zijn, die een concrete
oprichtingsdatum geven. Maar er zijn wel de *Sportalmakken* van
1888, 1890 en 1892, waarvan de eerste 19 december 1882 geeft, en de
twee latere dat wijzigen in 1 september 1881.[161] Wie deze data heeft
aangeleverd is onbekend. Misschien is het Mulier – hij staat vermeld
als 'pres.[ident]' – maar het zou ook een andere betrokkene kunnen
zijn die om gegevens gevraagd was of zelf het initiatief nam. Welke
van de twee jaartallen het ook is, het gaat om de geboortedatum van
een club, die niet per se alles zegt over oefenen en wedstrijden, ervoor
en erna.
De datum van 1 september 1881 valt binnen Muliers Haarlemse
schooltijd, die van 19 december 1882 binnen zijn verblijf in Ramsgate.
Mogelijk was hij rond de Kerst in Haarlem, maar we weten ook dat
Ramsgate-directeur Laurens het in zijn voorlichting van mei 1880
heeft over: 'Slechts eene vacantie in het jaar (Zomer).' Tijdens dat
buitenlands verblijf kan Muliers betrokkenheid bij een clubstart nooit
groot geweest zijn.
Mulier is in Ramsgate wel met beide vormen van 'football' in aanraking gekomen. In het *Gedenkboek H.F.C. 1919* schrijft hij heel kort:
*'Ik rappeleer me* 'n inter-scool-match in Engeland, waarin ik 13 tries
maakte.'[162] In 1946 gaat hij er in het opmerkelijke boekje *Voetbaltactiek* van de Groningse journalist Wedema, dat beneden nog een
belangrijke rol krijgt, veel uitgebreider op in:[163]

Teamfoto H.F.C. van 27 april 1890. Staand, van links naar rechts: Harry Westerveld, Hubert Menten, H. Angenent en Karel Ples. Zittend, midden: W.F.K.H. Wilkens, Wim Schorer, Klaas Pander en J.H. 'Puck' Meijer. Zittend op de grond: R.A.C. Schut, Willem Bok, Pim Mulier en Jan Feith. Bron: *Gedenkboek H.F.C. 1919.*

'In Ramsgate heb ik geen "association" beoefend of gespeeld; wij speelden er twee maal in de week rugby. Maar dat neemt niet weg, dat wij van een paar van de oudste Engelsche jongens les kregen (gratis bedoel ik) in de preliminaire regels van het "association"spel, zoodat wij, als er eens een halve of heele vrije dag was, beter zouden kunnen begrijpen wat wij zagen, als wij in de omgeving eens een echte "association-match" bijwoonden. Men onderwees ons, dat is te zeggen, dat was een kameraadschappelijke vriendelijkheid, ook wel eens op het schoolbord: de posities bij rugby en daarnaast die bij "association", de stand van de spelers bij het ingooien van den bal, bij het nemen van een hoekschop, en – de opstellingen bij het maken van een "rush" om 'n try te krijgen bij rugby.'

Minstens even interessant is het volgende. Mulier zit bij het reconstrueren van de vroege cricketgeschiedenis voor zijn boek *Cricket* van 1897 met de *Gymnasten-* en *Sportalmanakken* 1883-1887 aan zijn bureau, maar er zijn geen aanwijzingen dat hij hetzelfde al doet voor *Voetbal en Athletiek* in 1894. Een mogelijke verklaring daarvoor is dat hij in die drie jaar is gegroeid in zijn sportgeschiedkundige interesses en vaardigheden: voor *Cricket* gaat hij de boer op, voor interviews met betrokkenen en voor achtergrondliteratuur. En mogelijk heeft hij de hand gelegd, of nog eens gelegd, op de *Almanakken*. Dat neemt niet weg dat het uitermate vreemd voorkomt dat iemand die overal stellig beweert intensief betrokken te zijn geweest bij de vroegste Haarlemse sportgeschiedenis, niet zou hebben geweten dat de genoemde oprichtingsdata 19 december 1882 en 1 september 1881 uit de *Almanakken* rondzongen. Een en ander maakt het koele jaartal 1879, helemaal en uitsluitend aan Mulier te danken, zo opmerkelijk. We reconstrueren hier de bron van het vermeende H.F.C.-oprichtingsjaar 1879 door vier passages uit zijn geschiedschrijving, achtereenvolgens uit 1894, 1897, 1909 en 1919 direct onder elkaar te zetten.

*Athletiek en Voetbal*, 1894, 135, 169-170.
'Wie heeft bij ons te lande het eerst het bruine monster in beweging gebracht en wanneer geschiedde dit. Te Haarlem speelden in den winter van 1879-80 een 50-tal jongens, de meesten 13 à 14 jaar oud het voetbalspel. Wij speelden Rugby naar een boekje, hetwelk ik uit Engeland had gekregen en het ging er lustig bij toe. Uit die tijden van Olim herinner ik mij de namen: Th. Peltenburg, Van Dorsten, Jhr. W. Schorer, D.E. van Lennep, A. Schiff, W. Schiff, de gebrs. Hoog, H. Ypey, van Walcheren en Beets. Op een vergadering in de open lucht constitueerden wij ons tot de Haarlemsche Football Club. Ongeveer tegelijkertijd begon men in Amsterdam het spel te spelen, dit gebeurde in elk geval niet later dan in den winter van 1880/81. […] In 1883 zeide de H.F.C. het Rugby spel vaarwel, daar de gezamentlijke papa's en mama's een kreet van verontwaardiging aanhieven bij het ontvangen der rekeningen voor de tricots enz., waarvan er heel wat aan flarden gingen.'
'De [meeste vormen van Rugby] leveren veel gevaar op en zijn hoofdzakelijk de oorzaak der vele artikelen tegen het spel, die "The Lancet", een Engelsch medisch tijdschrift, tegen Rugby schrijft. Het spel wordt hier te lande niet meer gespeeld sinds omstreeks 1882 of 1883, daar toen de Haarlemsche F.C. en de Amsterdamsche Club "Sport" het verwisselden tegen Association.'

Hier staan drie stappen vermeld naar de invoering van voetbal in Haarlem: H.F.C. wordt opgericht 'niet later dan in de winter van 1880-1881' (tegelijk met het begin van 'het spel' in Amsterdam), soccer-voetbal begint in Haarlem en Amsterdam 'omstreeks 1882-1883', maar de allereerste stap is rugbyvoetbal 'in den winter van 1879-1880'. Zoals

Van Horn heeft opgemerkt: die winter valt binnen Muliers periode op kostschool in Brummen, zodat bovenmatig veel betrokkenheid bij het 'lustige' gespeel in Haarlem op zijn minst onwaarschijnlijk is.
In 1895 krijgt Mulier een bijzondere status binnen de club: hij promoveert van voorzitter tot erevoorzitter, en daar is haast bij: 'Den Heer W.J.H. Mulier werd op de Alg. Vergadering van den 12$^{en}$ Oct. [1895] naar aanleiding van zijn vertrek naar Indië het eere-voorzitterschap der H.F.C. aangeboden'. Indië zou nog meer dan drie jaar op zich laten wachten, het is een verschrijving van België, waar Mulier tussen augustus 1895 en januari 1897 woont in Brussel, met zijn (eerste) echtgenote Cornelia Constance van Duin.[164] Het jaar 1897 gebruikt hij vervolgens voor het schrijven van zijn laatste boek van de trilogie: *Cricket.* Onverwacht bevat het een half zinnetje over het begin van H.F.C., achteloos achter een passage geplakt over cricketclub Rood en Zwart.

> *Cricket*, 1897, 97-98.
> 'Rood en Zwart was een zeer gevaarlijke combinatie van jongens uit de tweede en derde klasse Gymnasium en werd opgericht door schrijver met behulp van D.E. van Lennep, Jhr. J.W. Schorer en W. Posthuma. Wij hadden eenige keren het spel [= cricket] der ouderen op de duinen aangezien en de Club [= Rood en Zwart] werd opgericht. Donker, W. Krüseman, H. Ypey, A. Ypey, F, Ypey, Van Dorsten, D. van Breda de Haan, Van Rhijn, Boon, Boomsma, Van Vloten, S. van Lennep, Anton Schiff, K. del Court, John. Schiff, A. en D. Bierens de Haan, Jansen en Jhr. Six waren eenige der leden en behoorden tot de door schrijver in 1879 opgerichte H.F.C.'

Dit is de eerste keer bij Mulier dat H.F.C. wordt 'opgericht' in 1879, en niet door 'wij', maar door 'schrijver'. Het is alsof schrijver achter zijn bureau, potlood in de hand, de dringende behoefte voelt na anderhalf jaar afwezigheid de Haarlemse voetbalhistorie naar zich toe te trek-ken. Geldingsdrang, arrogantie, 'ik ben de erevoorzitter, ze spreken me toch niet tegen'... zoiets. Is het erg, dat halve zinnetje? Ja, dat is het, want van nu af aan gaat het jaartal 1879 een volstrekt eigen leven leiden. Een onmogelijk leven, zoals blijkt in 1909.
De Nederlandsche Voetbal en Athletiek Bond word opgericht in 1889, met Mulier als eerste voorzitter tot 1892, waarna de twee bloed-groepen in september 1895 worden gesplitst. Na zijn terugkeer uit Brussel begin 1897 is hij tijdelijk puinruimer bij de inmiddels zwaar wanordelijke N.V.B., waar clubs en regio's met elkaar strijden om status en regeltjes. Zijn bemoeienis draait uit op een groot succes, een dankbare bond en ook hier een erevoorzitterschap. Het zal zijn ego niet hebben teruggebracht tot bescheidener proporties. Op zaterdag 30

oktober 1909 viert de N.V.B. in het Americain-Hotel in Amsterdam zijn twintigjarig bestaan. Mulier houdt de 'feestrede' die wordt afgedrukt in *Het Sportblad*. Hij zit flink op zijn praatstoel.

*Het Sportblad* 17, nr. 44 (4 november 1909): 6-9.
'En thans de ontdekking van het bruine monster. Ik geloof dat platen in een Engelsche illustratie mij op het destijds uiterst wilde denkbeeld brachten eens een reglement te laten komen van het spel. (Ik had het spel reeds eerder gezien, nl. in '71, toen ik eenige weken te Noordwijk logeerde, alwaar op de kostschool van Schreuders door Engelsche jongelui met een voetbal werd gespeeld). Oorspronkelijk speelden we te Haarlem met jongelui, van wie ik een der allerjongsten was, cricket in de duinen; maar aangezien wij jongsten misbruikt werden om ballen te rapen, ontstond er in die gelederen een revolutionaire vrijheidsgeest, we scheidden ons af en speelden nu en dan onder elkaar cricket in den Hout en op elk weiland, waar we maar een uurtje geduld werden. Ik stelde toen op zekeren dag voor een voetbal te laten komen (ik meen door de firma Perry en Co.). In October 1879 speelden we met dien éénen bal, waar we erg zuinig op waren, voor het eerst voetbal! In den winter 1879-'80 werd dit kleinood stukgetrapt en besloten we een tweede te laten komen, wat het ook kosten mocht en dan tevens een club op te richten. Deze club kreeg rood-zwarte petjes en truien, feitelijk omdat die ontzettend begeerenswaardige voorwerpen als éénig unicum toevallig te Amsterdam in een étalage werden ontdekt. We noemden ons bescheidenlijk "de Voetbalclub", adopteerden in 1880 den naam "Haarlemsche" en werden "De Haarlemsche Football Club" (Engelsch moest het zijn, anders deugde het niet).'

Hier blijkt het probleem van 1879 in volle omvang. Dit jaartal, nu zelfs gepreciseerd tot 'October 1879' voor het begin van voetbal in Haarlem, wordt gecombineerd met elementen uit de minutieuze geschiedschrijving van Haarlemse sport in *Cricket*. En dat kan niet. 1879 is onverenigbaar met het verhaal dat voetbal voortkwam uit Rood en Zwart, Muliers cricketclub die actief is tussen midden 1880 en begin 1882. Maar de erevoorzitter begint eraan, rondt het af en houdt zijn vingers gekruist, opdat het resultaat niet al te kritisch zal worden bekeken. Waarin hij gelijk krijgt.[165]

### Carte blanche voor Pim

Het *Gedenkboek H.F.C. 1919* is een merkwaardige mengeling van allerlei soorten bijdragen, herinneringen, biografietjes en cijfermatig materiaal, bijeengebracht door 'samensteller' Karel Lotsy, kort clubvoorzitter van 1917 tot 1919. Het is zelfs moeilijk een consistente lijn te ontdekken in de bijdragen over de vroege geschiedenis van H.F.C., ook niet in die van Mulier.

[Veldlopen begint in 1878 in Haarlem.] 'Ook bij H.F.C. werd reeds dadelijk in '79 iets dergelijks op touw gezet, niet bepaald in wedstrijdvorm, maar bij wijze van oefeningen.' Mulier, 'De oprichting van de "Haarlemsche Football Club" en de oertijd van het bruine monster', 11.

[De N.V.B. wordt opgericht in november 1889.] 'Het is feitelijk vreemd, dat dit 10 jaren na de H.F.C.-oprichting pas tot stand kwam.' Mulier, idem, 13.

'In strakke cijfers zou men zijn arbeid kunnen aangeven door reeds het jaartal 1879 aan te halen als het jaar, dat Mulier het voetbalspel in Nederland invoerde.' Feith, 'Willem Mulier', 17.

['[M]ijn vrind van Lennep' zegt dat Mulier maar de eerste voorzitter moet worden.] 'We moeten ook eens over 'n naam denken, zei v. Lennep. Dat brengt me tot de meening, dat onze naam eerst zoowat in '81 als vanzelf ontstond, iets wat v. Walchren zich ook herinnert.' Mulier, 'Onze terreinen', 109.

Biograaf Rewijk beschouwt Muliers bijdragen aan het *Gedenkboek H.F.C. 1919* als een poging, daartoe in staat gesteld door een *carte blanche* van Lotsy, om op 54-jarige leeftijd zich alsnog te profileren als een *founding father*, die 'in elke stap van de vroegste ontwikkeling van sport in Nederland het initiatief nam, meestal alleen'; deze 'ten dele gefingeerde [...] rol [...] behoedde de patriciërszoon Pim Mulier voor anonimiteit en gaf zijn bestaan zin'.[166] Toch begint deze denktrant bij Mulier al veel eerder, en wel op 32-jarige leeftijd bij het schrijven van *Cricket* in 1897, waar het gegoochel met H.F.C. 1879 begint. En waarna het niet meer ophoudt.

### Een bal

Een apart onderdeel van de mythe van 1879 is die van de eerste voet-bal waarmee de Haarlemse jongelingen speelden. Zoals het hierboven gegeven citaat uit 1909 laat zien, herinnert Mulier zich dat deze was aangeschaft bij 'de firma Perry en Co.' in Amsterdam. Dit (voluit) 'The English & American Warehouse Perry & Co.' werd in 1866 in de Kalverstraat geopend door de Amsterdamse handelsfamilie Verster, als filiaal van een destijds bekende Engelse firma in schrijfwaren, maar breidde al snel uit naar Engelse en Amerikaanse importproducten zoals regenmantels, overtweedcoats, lucht- en waterkussens, India Rubber en Gutta Percha drijfriemen, etc.[167] Dat bij deze zaak rond 1880 tussen de aangeboden waar een rugbybal heeft gezeten, is niet onaannemelijk, want Perry verkocht sportspullen. Zoals we al gezien hebben, betrok de

Haagsche Cricket Club er rond 1878-1880 zijn materiaal. Maar Muliers
'bruine monster'-hoofdstuk in het *Gedenkboek H.F.C. 1919* bevat een
opmerkelijke variant van deze anekdote:

> *Gedenkboek H.F.C. 1919*, 5-6.
> 'Ik rappeleer me, dat ik met m'n Haarlemsche schoolvrinden besprak
> de oprichting van zoo'n voetbalclubje en hen vertelde van dien
> fameuzen grooten bal. Maar ik kon er geen *toonen*. Men schudde het
> hoofd… Eindelijk zag ik bij De Gruyter in de Leidschestraat zoo'n
> mij welbekenden bal, spik- nee maar spiksplinternieuw. Hel-geel
> met 'n oranje geel leertje! Een paradijs aan een touwtje. Ik wou hem
> dadelijk mee hebben, maar had geen crediet. Den volgenden dag had
> ik het bedrag mee in m'n zak en ik kocht m'n bal, dolgelukkig! Het
> kleinood werd vertoond, betast, om beurten bliezen we 't ding op en
> ten koste der wetenschap werden lange besprekingen gehouden met
> mijne schoolmakkers, tenminste diegenen waar gang in zat; vooral
> Peltenburg; ook A. Schiff en D. van Lennep, dat was in den winter van
> 1879. We besloten *niet* op 't duin achter 't Kolkje te spelen, omdat je
> dan kwam onder den dwang van de Groote Jongens, die daar cricket
> speelden. We wouen zelfstandig beginnen en togen met onzen bal en
> 'n klein groen Engelsch spelregelboekje – ik zie het nog – alweer van
> den vriendelijken heer De Gruijter gekregen, naar diverse weilanden
> achter den Hout, o.a. ook naar het veld, waarop de H.F.C. nu speelt.'

Van Horn heeft gewezen op de onmogelijkheid van de combinatie
van het jaartal ('winter van') 1879 met de beschreven aanschaf van
materiaal: 'Op de Leidsestraat 27 dreef vanaf 30 juni 1881 W. Scheerens
een nieuw gevestigde importzaak van Engelse en Amerikaanse goederen
en nieuwigheden, waaronder ook nog een bescheiden assortiment
sportartikelen. [I]n december 1881 nam F.A.L. de Gruyter, tot dan
toe eenvoudig kantoorbediende, de firma van Scheerens over en
samen bouwden ze de zaak tot een grote winkel "De Gruyter" uit met
vestigingen in Hilversum en Baarn, en later ook in Den Haag.'[168] Hij
concludeert terecht dat jonge Pim dus niet al in 1879, zoals hij zelf
beweert, materiaal bij De Gruyter kan hebben gekocht, maar pas op zijn
vroegst eind 1881.
Van Horn doet hier ontegenzeggelijk een vondst, toch zijn de
consequenties ervan betrekkelijk. Mulier lijkt hier – goochelend met
jaartallen – te schrijven over de 'tweede bal' van zijn feestrede uit 1909.
Of: hij verwart sportzaak De Gruyter met Perry en Co. van de 'eerste
bal'. Lui, doordravend, wie spreekt me tegen… zoiets.

VIII

# EEN KLEIN, BRUIN KERELTJE

## Hoe Willem van Warmelo transformeert tot Lakkie van Eeden

### Post uit Semarang

Jarenlang leek het alsof er geen onafhankelijke bron bestond die meer licht kon laten schijnen op de gebeurtenissen in Haarlem rond 1880, buiten de getuigenissen van Mulier zelf. Maar die bron, die onafhankelijke getuigenis, is er wel. En hoe. In januari-februari 1928 verschijnt in *De Revue der Sporten* een briefwisseling die samen genomen een document oplevert dat behoort tot de belangrijkste van de vooroorlogse Nederlandse sportgeschiedenis, juist omdat het nieuw licht laat schijnen op de vroegste geschiedenis van H.F.C. Op 2 januari 1928 publiceert *De Revue der Sporten* een brief van Willem 'Lakkie' van Warmelo, geschreven uit Semarang op Java en gedateerd 6 november 1927.

Lakkie van Warmelo's brief is een reactie op een poging tot geschied-schrijving van hoofdredacteur Chris Groothoff in hetzelfde blad in en hij staat boordevol persoonlijke herinneringen uit de begintijd van cricket en voetbal in Haarlem.[169] Op 20 februari volgt het antwoord van Mulier. Hieronder staan uitgelicht de in dit verband relevante passages.

*Revue der Sporten* 21, nr. 18 (2 januari 1928): 344-345.
'Alvorens te beginnen, wil ik me eerst, aan U voorstellen. Mijn naam is W. van Warmelo, dit is echter een naam, die bij de sportlui uit dien tijd onbekend zal zijn. Die herinneren zich misschien beter den naam Lakkie van Eeden of wel het Factotum van Rood en Wit. Vraagt U maar eens aan C. J. Posthuma en aan W. Mulier, of zij zich niet herinneren een klein, bruin kereltje, dat altijd belast was met het opzetten van de wickets, het opbergen, van de bats en het andere cricketmateriaal in de lange groene bag, dat er steeds op uit gestuurd werd naar de verschillende huizen rond de Koekamp — of mooier gezegd 't Frederikspark — om den bal terug te halen wan-neer die, gewoonlijk door de ruiten, per ongeluk in een van die hui-zen terecht gekomen was en dat dan ook daarvoor uit de eerste hand de standjes moest slikken. Die heeren zullen zich ook stellig nog wel

herinneren het jongetje, dat later, toen we gingen voetballen, steeds in de palen moest klimmen om het lint, dat dienst deed als bovenlat, indien het door den bal was geraakt en stukgegaan was, weer vast te knoopen [...]. In 1881, ter eere van mijn tienden verjaardag, werd ik lid van Rood en Wit en natuurlijk geplaatst in de aspirantenklasse. Wij kregen daar les van Posthuma, in de wandeling "Carstjan" genoemd. Rood en Wit is ook de eerste vereeniging geweest, die in ons land rugby beoefend heeft. Op een goeden dag kwam Wim Mulier uit Engeland met een veel op een ei gelijkenden bal. Hij leerde ons het rugbyspelen. Ik zie hem nog daar in de Koekamp met den bal in z'n armen door alles heen dribbelen, hij, de slanke jongeling, was zoo vlug als een haas en zoo glad als een aal. We konden hem vrijwel nooit te pakken krijgen. Langzamerhand begon men ook het gewone voetbal te beoefenen, hoofdzakelijk gebeurde dat door de cricketers van Rood en Wit, die later H.F.C. hebben gevormd.'

*Revue der Sporten* 21, nr. 5 (20 februari 1928): 511.
'Of ik mij hem herinner, onzen Lakkie?! En of! Het was 'n aller-minzaamst, gewillig, vrindelijk ventje, 'n beetje Indisch, vandaar misschien z'n naam Lakkie en hij heeft onze H.F.C. gekend in den oertijd, van het begin af! Hij woonde in bij twee, ons zeer welgezinde, zeer bekende Haarlemsche ingezetenen, Mevrouw en Dr. v. Eeden, de geleerde conservator van het Koloniaal- en Kunstnijverheidmuseum beiden, (als ik het wel heb) vader van Frederik, zijn bekenden zoon. [...] Lakkie vermeldt niet, dat wij een klein apart cricketclubje "Rood en Zwart" waren. Dat was wel het protoplasme van de H.F.C. Dat troepje jongens speelde cricket en die zelfde jongens richtten het rugby-clubje de H.F.C. op. Het heette toen nog niet eens de H.F.C. meen ik en we speelden in zwart rood geringde truien met een dergelijk, heel klein en eigenwijs zwartrood "Matje" ofdewel petje zonder klep op. [...] Dat clubje "Rood en Zwart" mocht wel eens met de alweer 'n paar jaar (hoogstens) oudere menschen van "Progress" en "Rood en Wit" spelen en uit die Rood-Zwarten voornamelijk zijn de rugbykrachten voor onze voetballerij, de H.F.C, toen gerecruteerd. Dat ik voorzitter werd, lag aan David van Lennep, wien we dat het eerst aanboden, maar hij bedankte voor de eer. Het waren dus niet zoo zeer de Rood- en Wit-menschen en de jongens uit "Progress" als de Rood- en Zwart-jongens, waaruit wij zijn ontstaan. Dat heeft de brave Lakkie zich niet helder meer voor den geest kunnen halen (allicht omdat hij toen alweer een jaar of 6 met ons in leeftijd verschilde).'

We mogen 'Lakkie van Eeden' dankbaar zijn. De tijdslijn van de beginjaren van het Haarlemse voetbal is nu, dankzij zijn brief aan *De Revue der Sporten*, een stuk helderder. Dit is die tijdslijn.

Rood en Wit in 1883. Staand, van links naar rechts: 'V. Schouwenburg, G. Schiff, W. du Rieu, F. Druyvestein, G. Kruseman, F.L. Heil, A. Beets, Pleyte, Reynen, v. Lelyveld, Abbing, G. André de la Porte, F. G. du Rieu, Arriëns.' Zittend: 'J.G. Heil, W.Schiff.' Liggend: 'Harry Westerveld, Jonges, C. Sandberg, J. Ryfsnyder, Herman Westerveld, F. Ryfsnyder.' Bron: *Gedenkboek Rood en Wit 1883*.

Vanaf voorjaar 1880 wordt er in Haarlem door Progress cricket gespeeld. Een groep jongens die daarbij te weinig aan bod komt, richt in de tweede helft van 1880 onder leiding van Mulier Rood en Zwart op. Ergens in 1881 wordt ter afwisseling van het cricket begonnen met het schoppen tegen een bal, in niet al te gestructureerde, rugbyachtige vorm. Die bal zal van magazijn Perry zijn gekomen, net als de sportspullen van H.C.C. Meer structuur komt er nadat Pim in 1882-1883 in Ramsgate is geweest en in juli 1883 spullen uit Engeland meebrengt: een gloednieuwe bal en spelregelboekjes. Misschien neemt hij dat materiaal al wel eerder mee uit Engeland als hij rond 24 februari 1883 uit Engeland overkomt voor de begrafenis van zijn vader, een ingrijpende familiegebeurtenis waarvoor hij toch waarschijnlijk van instituutsdirecteur Laurens verlof heeft gekregen.

Dat de oorsprong van het rugbyvoetbal bij cricketclub Rood en Zwart ligt, en niet bij Rood en Wit, is een nadrukkelijke correctie van Mulier op het verhaal van 'Lakkie'. Tegelijkerijd ontkent hij niet dat speelmateriaal uit Engeland kwam; geen De Gruyter, geen Perry, het is alsof die anekdotes nooit bestaan hebben – wat niet wegneemt dat ze nog steeds waar kunnen zijn en onderdeel kunnen uitmaken van het lopende verhaal.

Er zit vermoedelijk enige tijd tussen het begin van het rugbyvoetbal, waarin volgens Mulier zelfs in rood-zwart wordt gespeeld, de kleuren van de oorspronkelijke cricketclub, en het benoemen van de groep als 'H.F.C.' Zoals we al memoreerden, geven de *Sportalmanakken* van 1888-1892 twee verschillende oprichtingsdata. Wat voor 1 september 1881 pleit, is dat Pim toen in Haarlem was, op het gymnasium, typisch een omgeving voor het oprichten van een club. Het meest aannemelijk lijkt ons echter 19 december 1882, de datum die als eerste wordt genoemd in de almanakken. 'Iemand' heeft daarna de oprichtings-datum naar voren geschoven, in de richting van 1881, het tijdstip van het eerste rugbyvoetbal – sterker nog: in de richting van Muliers aanwezigheid in Haarlem. We wagen dus te veronderstellen dat juist hij dit op zijn geweten heeft.

### Wie was Lakkie van Eeden?
Lakkie van Eeden, W. van Warmelo, wie was hij? Frederik Willem van Eeden uit Haarlem, een bekend plantkundige en de vader van de literator (1860-1932) met dezelfde naam, trouwt in 1856 met de Leidse Neeltje van Warmelo. Een van haar broers is Diederik van Warmelo, die vanaf augustus 1864 als militair in Indië dient. Diederik erkent twee op Borneo geboren kinderen, die als moeder 'Sailon' hebben, ongetwijfeld een inlandse dame: onze Willem, geboren op 22 maart 1871 in Tabanio, en Henri, geboren op 20 april 1874 in Martapoera. Diederik krijgt in 1877 twee jaar verlof in Nederland toegewezen 'wegens twaalf jaar onafgebroken dienst in Ned.-Indië', dat hij in 1878 benut, om aan het eind van dat jaar al weer terug te keren en meteen door te reizen naar Atjeh, op naar nieuwe militaire actie. Hij levert tijdens zijn Nederlandse reis Willem af bij zijn zus Neeltje in Haarlem. In het Bevolkingsregister van Haarlem is inderdaad een Willem van Warmelo te vinden, die in zijn jeugd deel uitmaakt van het gezin van Frederik Willem Sr. Daar transformeert hij tot Lakkie van Eeden. Het jaartal van Lakkie's komst naar Nederland wordt bevestigd door een tweede sportbrief van '[e]en onzer abonné's in Ned. Indië, de heer W. van Warmelo te Sema[r]ang', in *De Revue der Sporten* van juli 1928; hij reageert hierin op een eerdere publicatie over de vroege zwemsport in Haarlem, waarin werd beweerd dat 'de crawl eerst in het jaar 1906 naar Europa kwam en voor dien tijd nog nooit hier gezwommen is. Ik zeg met verwondering, daar in het jaar 1878 de crawl reeds in het zwembassin van den heer Sprenger aan de Brouwersvaart te Haarlem is gezwommen geworden. Ik kan niet verder gaan dan tot dat jaar, want ik zelf zwom, toen ik pas uit Indië kwam, de crawl, [...]'.[170] Die bijnaam 'Lakkie' komt in de oudere Nederlandse sportwereld een aantal malen voor, typisch bij jongemannen met een oosters uiterlijk en een grote, scherpe neus. De bekendste Lakkie is de sporter en

latere journalist J.C. 'Johan' Schröder (1871-1938), die de naam zelf als columnist gebruikt, naast Barbarossa, vanwege zijn rossige sik. Eind jaren tachtig al is hij cricketer en voetballer, onder meer bij R.A.P., waarvan hij in 1887 een van de oprichters is. De bijnaam is mogelijk voor Indische jongemannen afgeleid van Malakka of Malakker, maar hij kan minstens een keer in verband wordt gebracht met de joodse naam Polak. Als de 74-jarige oud-worstelaar Anton Böfinger in 1957 herinneringen ophaalt, vertelt hij dat hij in zijn jeugd de bijnaam Lakkie kreeg, omdat hij zo leek op Henri Polak, de destijds bekende vakbondsbestuurder vanuit de Amsterdamse diamantwereld.[171]

### Lakkie bij Rood en Wit

Lakkie vermeldt dat hij 1881 ter gelegenheid van zijn tiende verjaardag, op 22 maart 1881, lid wordt van Rood en Wit, met plaatsing in de aspirantenklasse. Maar deze bewering is niet onproblematisch. Op zijn best was er sprake van een informeel lidmaatschap bij een groep oefenende jongeren, want de oprichting van Rood en Wit vindt pas plaats in juni van dat jaar.

In het archief van Rood en Wit komt Willem van Warmelo in geen enkele ledenlijst voor. Veel later dan 1881 is hij in 1886 terug te vinden als aspirant-lid, rond de tijd dat president Pleyte op 11 maart 1886 in het kader van 'leden-nood' voorstelt om een 'afspiranten-afdeeling' in te stellen.[172] Zijn naam duikt dan ook op in Haarlemse kranten: W. van Warmelo gaat in juli 1886 over naar de tweede klas van de 5-jarige H.B.S. en wint op 10 oktober de tweede prijs bij een wedstrijd in het *batten* voor aspiranten van Rood en Wit.[173]

In maart 1887 verzoekt hij het bestuur van Rood en Wit 'om zonder entree in de Hoofdafdeeling te worden opgenomen, daar hij slechts voor korten tijd lid zou kunnen worden', maar dat wordt afgewezen.[174] Hij schrijft zich op 7 juli 1887 uit bij de gemeente Haarlem voor vertrek naar Kampen, voor deelname aldaar aan de opleiding voor militaire dienst in Nederlands-Indië. Op 22 maart 1889, zijn achttiende verjaardag, wordt hij in de ballotageprocedure van Rood en Wit 'voorgehangen', maar: door zijn naam staat een dikke blauwe streep. Zijn vertrek naar het Verre Oosten zal daarvan de oorzaak zijn geweest.

Lakkie woont bij de Van Eedens op Frederikspark 10[175] en in de notulen van een bestuursvergadering van Rood en Wit op 29 november 1884 is deze aantekening te vinden: 'De President verzoekt den Secretaris de Heer & Mevrouw van Eeden in het Frederik Park een brief te schrijven om HEd voor het bewaren van het cricketspel gedurende den laatsten crickettijd te bedanken.'[176] De materiaalopslag van Rood en Wit is dus bij de dan dertienjarige Lakkie thuis en hij zal inderdaad vanaf de start van Rood en Wit als 'factotum',

Henri 'Babi' van Warmelo, als voetballer (en 'vice-president') bij Go Ahead Wageningen, uiterst links. Bron: *AenV*, 174.

oftewel manusje-van-alles, en materiaalbeheerder bij de club hebben rondgehangen.

### Lakkie in Indië
Lakkie rondt het militaire programma in Kampen waarschijnlijk succesvol af, want in 1899 doet hij examen voor de post van onder-officier-kwartiermeester in Padang, een levendige handelsstad aan de westkust van midden-Sumatra. We vinden daar een W. van Warmelo, 'sergeant-majoor-kwartiermeester' – en we nemen aan dat hij dit is – verwikkeld in een verduisteringszaak waarbij hij wordt veroordeeld tot de niet misselijke 'zes jaar tuchthuisstraf, f 1500 boete' en de kosten van het geding.[177]
Gescheiden en hertrouwd is hij vanaf 1915 in Semarang op Java. Daar bekleedt hij een reeks van bestuursfuncties binnen de sport.[178] Eind april 1919 is 'W. van Warmelo' betrokken bij de oprichting van de Nederlandsch-Indische Voetbalbond in Weltevreden, hij wordt daarvan de secretaris. Eind maart 1923 wordt hij in Batavia secretaris van de nieuwe Nederlandsch-Indische Athletiek Bond, en een maand later van de Nederlandsch-Indische Boks Bond. Na 1923 is W. van Warmelo niet meer terug te vinden in de Indische sportwereld. Hij heeft waarschijnlijk groeiend gebrek aan tijd door een kantoorbaan bij de im- en exportfirma Geo Wehry & Co. in Batavia. Willem van Warmelo overlijdt op 1 augustus 1948 in Bandung.
Willems broer Henri, voornoemd, is van 1890 tot 1895 een

Nederlandse voetbaltopper bij Go Ahead Wageningen tijdens zijn studie aan de Rijkslandbouwschool, en in vertegenwoordigende elftallen. Dat is ook een interessant, maar weer ander verhaal.[179]

### 'Vootbal' bij Rood en Zwart

In het Archief van Rood en Wit bevindt zich een tot nu toe onopgemerkte handgeschreven notitie die eruitziet als verenigings- notulen, en prachtig aansluit op Lakkie's relaas in de *Revue der Sporten*.[180] De inhoud ervan is zowel vermakelijk als interessant. Vermakelijk vanwege het woordgebruik van *sportsminded* Haarlemse tieners ('badslui', 'vootbal') en interessant, omdat hij een direct getuigenis vormt bij wat Lakkie en Mulier in hun briefwisseling van 1928 bespreken. De notitie kan gedateerd worden op laat 1881 tot vroeg 1882 omdat hij onder andere 'de rekening en verantwoording' van een club bevat die zowel cricket als voetbal speelt.

> *Handgeschreven briefje in Archief Rood en Wit.*
> '1ᵉ Afschaffing boete voor schelden, vloeken en schreeuwen (met verzoek dit te laten, benevens niet mede "over" te roepen.
> 2ᵉ Dat de badslui, evenals bij 't bowlen, na elke partij verwisselen, dus eerst 1 en 2, dan 3 en 4, dan 5 en 1, dan 2 en 3, dan 4 en 5 en dan weer 1 en 2.
> 3ᵉ wenschte ik voor te lezen de rekening en verantwoording van 1880 en 81. Nu is er te kort f 2,30, zijnde f 0,70 te kort der rekening 80-81 0,95. Boekjes Kruseman f 0,35. Boekjes Mulier f 0,60. Bad repareeren te samen f 2,60.
> 4ᵉ Voorstellen als lid del Court. Als deze wordt aangenomen komt daarbij nog f 5. Hiervan zou nog afgaan 1ᵉ tricot Six ad f 1,70 en 2ᵉ tric + pet del Court = 2,30. Te samen dus zijnde een te kort van 6,[??]. Hierbij komt nog het laatste clubbad dus dan wordt het te samen f 12,80. 12,80 : 15 = 0,85 cents.
> 5ᶜ Boeten stellen à 5 cent, wanneer men na verzocht te zijn door de president om dit niet te doen, niet op zijn plaats staat en heen en weer wandelt.
> 6ᵉ Afschaffen, de boete op 't neer gooien van 't bad.
> 7ᵉ voorstellen om, indien er Zaterdags geen Vootbal wordt gespeeld Zondagsochtend te cricqueten.
> 8ᵉ Om, b.v. in 't midden van mei, als de beurzen weer eens gevuld zijn, beenstukken aan te schaffen.'

De notitie is een prachtig stukje Nederlands sporterfgoed. Hoewel afkomstig uit het archief van Rood en Wit, weten we zeker dat hij gaat over Rood en Zwart, de eerdere Haarlemse club. Hij bevat uitsluitend namen die met die club geassocieerd kunnen worden: W. Kruseman,

Unieke Rood en Zwart-notitie uit 1881-1882. Bron: NHA1736.

Karel 'Kaak' Del Court (1865-1955), een jeugdvriend van Mulier, en jonkheer Rudolf Carel Six (1865-1915). Deze laatste is eind juni 1881 afgezwaaid van Instituut Noorthey, waar dan volop wordt gecricket en gevoetbald. Ze worden alle drie genoemd door Mulier in *Cricket* onder zijn eerste ploeggenoten bij Rood en Zwart en als vroege spelers van H.F.C., en er is geen aanwijzing dat zij ooit bij Rood en Wit speelden.[181] De genoemde boekjes, aangeschaft door 'Kruseman' en Mulier op kosten van de vereniging, zullen spelregelboekjes zijn geweest voor cricket of misschien zelfs wel voor voetbal. Het feit dat in deze notitie cricket en 'vootbal' in een adem worden genoemd, bewijst het gelijk van Mulier als hij Lakkie erop corrigeert dat het voetballen bij Rood en Zwart in 1881 of 1882 begint, en niet bij Rood en Wit. Het is verleidelijk te denken dat dit mooie briefje via een voormalige Rood en Zwart'er in het archief van Rood en Wit is terechtgekomen, misschien wel via Mulier.

# IX
# DRIE PEPPELS MIDDEN IN HET VELD

## Hoe clubs door Haarlem rondzwerven

**Van het ene stuk land naar het andere**

Voor voetbal zijn spelers nodig en een bal, en het wordt gespeeld op een veld. De terreinen waarop in Haarlem in de oertijd cricket en voetbal worden gespeeld, zijn een terugkerend thema in de geschied-schrijving van de vroege sport in de stad. Mulier noemt het gebrek aan een enigszins bruikbaar en systematisch beschikbaar veld als een belangrijke oorzaak van de teloorgang van zijn eerste club Rood en Zwart. Men trok van het ene stuk land naar het andere, verjaagd door verwensingen schreeuwende eigenaars of soms belaagd door vecht-lustige leeftijdsgenoten.[182]

Het krantenbericht in het *Haarlemsch Advertentieblad* van 22 oktober 1881 verhaalt niet alleen over de dispuutclub als begin van cricket bij Progress, maar is ook een schets van de situatie in de sportbeoefening in de stad op dat moment. Er bestaan dan al 'vijf clubs' (Mulier heeft het zelfs over twaalf). Het 'stedelijk bestuur heeft zijne ingenomenheid met deze vrije oefeningen getoond, door de jongens toetestaan hunne bijeenkomsten in den koekamp te houden. De eerste club kreeg vergunning van een onzer ingezetenen om op zijn land te spelen.'[183]

Deze sportgezinde Haarlemmer, die Progress op zijn land accommodeert, is Johannes Jacobus 'Joopie' van den Berg, 'logement-en stalhouder', die sinds 1 januari 1860 van de gemeente Haarlem een 'stuk weiland, genaamt de Koekamp' huurt, steeds voor periodes van zeven jaar. Het huurcontract tussen de gemeente en Van den Berg is per 1 februari 1881 voor zeven jaar verlengd, tegen een prijs van 140 gulden per jaar.[184] En er is ook nog 'een ander Haarlemsch burger, die een koepeltje afstond om er de wickets, balls en hoe verder de benoodigdheden heeten te bewaren'.[185] Deze behulpzame particulieren zijn de ouders van de latere schrijver Frederik van Eeden, woonachtig op het adres Frederikskamp 10, net buiten De Koekamp.[186]

Het gebied Den Hout in Haarlem, anno 1880. Rechtsboven, als onderdeel van 'De Kleine Hout' het Frederikspark met de eivormige weide van De Koekamp. Onderaan 'Den Hout', aan de zuidkant begrensd door de 'Spanjaards laan'.
Bron: http://www.topotijdreis.nl/.

Niet alleen Progress, maar ook Muliers groepje kan wat later op De Koekamp terecht, zij het na de nodige omzwervingen langs andere locaties. In het *Gedenkboek H.F.C. 1919* memoreert hij:

> 'We wouen zelfstandig beginnen en togen (...) naar diverse weilanden achter den Hout, o.a. ook naar het veld, waarop de H.F.C. nu speelt. Wij sjouwden dan mee: den bal, een paar stokken en een plank. Die plank diende om te vluchten, zoodra de boschwachter Kolderie of de boer of 'n ander volwassen mensch aan den einder verscheen en begon met "Willen jullie wel eens als de bl..." Dan werd de plank gelegd voor den Exodus en we trokken een landje verder op, achter de Koepel van Utenhoven of achter de boerderij van Van Bruggen bij 't Spaarne.
> Doch eindelijk, al dat zwerven moede, vroegen we aan den Heer J(oopie) van den Berg permissie om in den Koekamp te mogen spelen. Hij gaf die gulweg, maar... het gras voor zijn paarden verdween onder onze voetbalschoenen [...]. We werden wéér bedreigd met 'n Exodus. Het was 'n korte vreugd.'

Mulier heeft het over rugbyvoetbal, dus het gaat hier om Rood en

Heilige grond. Haarlem Noord, riching Schoten, terrein aan de Kleverlaan, circa 1901. Links, vaag zichtbaar in het veld, de contouren van het heuveltje met de resten van het 'Huis ter Kleef'. Rechts op de achtergrond de Cavalerie-kazerne, met aan die kant van de weg het weiland dat soms ook door cricketers en voetballers werd benut. Bron: Wieringa, H. *Haarlem in Photographieën*. Delft: Elmar, 1968; en: https://www.conam.info/kentekens/rijksnummers/volgnummers-1898-1906/296-rijksnummer-42.

Zwart, dat, begonnen als cricketclub, deze veldsport op zijn vroegst in de loop van 1881 aan het repertoire toevoegt. In het geciteerde artikel in het *Haarlemsch Advertentieblad* van oktober 1881 wordt in ieder geval met geen woord gesproken over 'voetbal'. Als de omzwervingen van Mulier met het cricket en rugby spelende Rood en Zwart de groep voor korte tijd in De Koekamp brengen, is het dus winter 1881-1882, het meest waarschijnlijk vroeg in dat tweede jaar. Mulier zelf houdt een slag om de arm: 'in de Koekamp speelden we denkelijk in de herfst van 1880', maar die anderhalf jaar verschil valt zo onderhand binnen de marge van wat we van zijn geschiedschrijving gewend zijn.

### De velden van Rood en Wit

Rood en Wit begint te oefenen, zoals in eerdere hoofdstukken beschreven, in het eerste halfjaar van 1881, op een volgens het *Gedenkboek 1931* veel te klein 'open plekje in den Hout, waarop eenig gras en mos aanwezig was'.[187] Dat loopt niet lekker. In de vergadering van de Haarlemse gemeenteraad van 19 april 1882 brengt de heer Derx ter sprake dat door de 'zoogenaamde cricquetclubs' die in het park hun oefeningen houden, wandelaars aan gevaar blootstaan, 'zooals onlangs is gebleken, toen eene vrouw aldaar door een bal is getroffen'. De voorzitter van de raad is het helemaal met hem eens: het is juist daarom dat de burgemeester en wethouders die 'spelen in de Hout hebben verboden'.[188] Rood en Wit heeft dan ook in een brief van 11 april 1882 van de burgemeester en secretaris officieel te horen gekregen: er bestaat bezwaar 'vergunning te geven tot het gebruik maken van het terrein aan de Zuidzijde van het paviljoen, voor de Cricketoefeningen'.[189] En in dezelfde sfeer is al eerder beslist op 7 december 1881, wanneer het verzoek tot het 'oprigten van een uitspanningsplaats in den Hertenkamp' in den Hout, met daarin onder meer een 'terrein tot speelplaats voor kinderen', wordt afgewezen.[190]

In het *Jaarverslag 1881-1882* van Rood en Wit schrijft voorzitter Beets mismoedig: 'Wij moesten dus weer een ander veld opzoeken, en daarom wendden wij ons tot den Heer Bulters (boer van beroep) die met ons een contract aanging, waarbij besloten werd, dat wij op een veld van hem mochten spelen voor een stuiver de persoon.' Boer Bulters was de eigenaar van een veld bij het 'Huis ter Kleef', een bedrieglijke naam voor een klein stukje ruïne, dat nog een belangrijke rol heeft gespeeld bij het Beleg van Haarlem in de Tachtigjarige Oorlog. Het ligt aan de Kleverlaan helemaal aan de noordkant buiten de stad, richting Schoten.[191]

Rood en Wit vindt het allemaal niet ideaal. Beets schrijft: 'Niettegenstaande dit veld wendden wij ons toch tot den Heer de Kanter, met het verzoek, of deze de vergadering niet kon bewegen, ons een veld voor niets of anders voor eene matige prijs af te staan.'[192] En inderdaad, raadslid M.O. de Kanter wil zich er wel voor inzetten. Op 4 mei 1882 stelt hij in de gemeenteraad voor om Van den Berg per 1 juni de huur van De Koekamp op te zeggen, zodat het terrein beschikbaar komt als 'speelplaats voor de jeugd'. Maar als de burgemeester en wethouders de Commissie voor den Hout en de Plantsoenen om advies vragen, laat die eind mei weten het weliswaar een voorstel met goede bedoelingen te vinden, maar helaas: het is niet in overeenstemming te brengen met de staat van het 'zeer fraaie Frederikspark en de daarin liggende villa's'. Ook de bewoners van het Frederikspark komen op voor hun leefomgeving, die door 'afzonderlijk staande villa's en prachtig geboomte zulk een liefelijk geheel vormt met het rustige weiland. [...] Dat door het vestigen van een kinderspeelplaats, met al de daarbij behoorende toestellen, dit landelijke plekje geheel zou worden ontsierd, behoeft geen betoog.' Een kinderspeelplaats of een sportveld, het maakt niet uit: het negatieve advies van de Commissie wordt door de gemeente gevolgd.[193]

Uiteraard is Rood en Wit bij monde van Beets zwaar teleurgesteld: 'Vooreerst [is] het vooruitzicht op een veld, waarop wij voor niets kunnen spelen geheel verdwenen. Ik spreek hier over "een veld voor

OMDAT ER TE DICHT AAN DEN RAND GESPEELD MOEST WORDEN VAN WEGE DRIE PEPPELS IN EENE APARTE OMHEINING

niets" omdat onze geldelijke bijdragen niet toereikend genoeg zijn om
het veld en al onze benoodigdheden te bekostigen.' Er wordt besloten
tot een zoektocht naar donateurs, maar die is niet al te succesvol.[194] In
juni 1884 noteert Rood en Wit-president Kees Pleyte: 'Wat de landhuur betreft, wij betalen aan Bulters op het Huis ter Kleef f 4,50 per
maand; dit moet ook wel zoo blijven aangezien niemand anders zijn
veld voor de oefeningen wil afstaan en de Edel. Achtb. Haarlemsche
Gemeenteraard niet te bewegen is om vrij entree in de "Koekamp" te
geven.'[195]
Rood en Wit bivakkeert dus tot diep in 1884 bij het Huis ter Kleef,
zoals ook blijkt uit het feit dat daar op 10 augustus een eerder
gememoreerde wedstrijd tegen Hilversum wordt gespeeld en uit
kwitanties in het clubarchief tot en met die maand voor landhuur.[196]
Onverwacht, gezien de voorgeschiedenis, komt Rood en Wit in
september 1884 tot een akkoord met Van den Berg over gebruik van
De Koekamp, en waarschijnlijk via hem ook met de gemeente. De
club gebruikt het veld echter alleen voor cricketoefeningen. Voor het
houden van matches is De Koekamp ongeschikt, 'omdat er te dicht
aan den rand gespeeld moest worden van wege drie peppels in eene
aparte omheining, de z.g. "kleine koekamp", midden in het veld
aanwezig'.[197] Gedwongen door de drie populieren wijkt Rood en Wit
voor zijn wedstrijden uit naar het veld aan de Kleverlaan. We hebben
al gezien dat daar in september 1885 de wedstrijd van Noord-Holland
tegen Zuid-Holland wordt gespeeld, en in juni 1886 Rood en Wit tegen
"Sport".
Aanvankelijk stelt Van den Berg zijn weiland belangeloos ter
beschikking, maar halverwege het seizoen 1887-1888 moet zijn
contract met de gemeente worden verlengd.[198] Als de gemeente het
opnieuw voor zeven jaar aan Van den Berg gunt, stelt Mulier, dan
bestuurslid van Rood en Wit, voor te gaan onderhandelen, en wel door
de 'tegenwoordigen huurder daarvoor f 50 te bieden + f 20 indien deze
een request bij den Raad indiende tot verwijdering der populieren met
het daarom staande hek en f 30 indien dat verzoek werd toegestaan.
Tevens werd hierbij de bepaling gevoegd dat "R&W" het voor 5
jaren zou huren met het recht dien termijn naar willekeur één jaar te
voren op te zeggen.' Op 24 februari 1888 kan Mulier in de bestuursvergadering melden dat de zaak rond is. Hij heeft de huurprijs van De
Koekamp afgemaakt op f 75 per jaar, met een opzegtermijn van drie
maanden.[199]
Van den Berg heeft in 1884 al bedongen dat Rood en Wit de enige
club is die er mag spelen, dat vindt hij wel genoeg. De Haarlemse
collegaclub Volharding dient in 1885 een verzoek in om De Koekamp
ook te mogen gebruiken en tijdens de algemene vergadering van 21

februari 1885 is president Pleyte geneigd dat toe te staan, maar Bram Beets oppert de bedenking of Rood en Wit 'wel het recht heeft, om ze toe te laten, wijl het verdrag met van den Berg is, dat er niemand mag spelen behalve "Rood en Wit". Hij vindt dat "R en W" zich heel niet moet bemoeien met de zaken van Volharding. De Verg. is het hierin met den heer Beets eens.'[200] Volharding adverteert dan enigszins wanhopig voor een veld,[201] waarschijnlijk zonder succes want een jaar later herhaalt de club het verzoek aan Rood en Wit. Deze keer wordt er echter 'goedgunstig over beschikt, ten minste wanneer de Heer v/d Berg geen bezwaren daartegen zou hebben'.[202] Vermoedelijk houdt deze echter zijn poot stijf. In het archief van Rood en Wit bevindt zich een briefje van 5 mei 1886 van de secretaris van Volharding waarin hij schrijft dat de club zichzelf heeft opgeheven. Klein cricketleed in Haarlem.

### De velden van Pim en zijn jongens

Mulier en zijn groep zijn in het voorjaar van 1882 door Van den Berg (en de gemeente) van De Koekamp verjaagd. Wat gebeurt er dan? Dit, zoals door Mulier is beschreven in het *Gedenkboek H.F.C. 1919*.

> Toen schreef ik, 't was in '80, aan Burgemeester Jordens, of ik de Koekamp voor mij en m'n vrindjes mocht "huren". Ik liet den brief lezen op school, zei zoo terloops langs m'n neus weg: "Brief aan den Burgemeester geschreven". Of je je voelde zoo'n dag! Ik deed hem voorzichtig zelf in de bus, keek 'm lang na!
> Burgemeester Jordens antwoordde *niet*! Na een week ongeveer spande hij papa er voor (wat ik absoluut uit den vorm vond) die me vertelde: "Meneer Jordens heeft gezegd, dat je *maar eens bij 'm moest komen*". Dat stemde tot ootmoed en benauwdheid. Ik kwam op 't stadhuis, werd door 'n bode vóór 'n hekje gebracht in de Burgemeesterskamer en vertelde, dat ik hem als president van de "H.F.C." gaarne eens wou spreken. "Ja, juist Wim, kom maar eens hier binnen", zei de groote man en ik vond dat "Wim" nu eigenlijk niet strookende met de gewichtigheid van de zaak en vooral niet met mijn qualiteit van "president".
> Hoe blij was ik echter een dag of wat later, van den Heer Jhr. Mr. Adriaan Teding van Berkhout een brief te ontvangen, niet door papa goddank, maar direct aan mij, waarin mij werd medegedeeld, dat de Gemeente geen bezwaren had om mij den Koekamp in onderhuur af te staan als *"worstelperk voor mij en mijne kornuitjes"*. "Kornuitjes" alweer kon amper door den beugel, maar ik was zeer gelukkig op school te kunnen zeggen, dat ik een "brief van de Gemeente" in m'n zak had. "Kijken" zeien ze. "Nee" zei ik, "straks, morgen

misschien, niet vóór de vergadering". En zoo kregen wij dan, onder
conditie, dat we den Heer J. v. d. Berg schadeloos zouden stellen
voor het bederf van het land en als vergoeding voor de thans noodig
geworden mest, den Koekamp in onderhuur. Dit werd dus het eerste
football-terrein in ons land.'

Het is een inmiddels zowat mythisch verhaal, dat – ondanks
hardnekkinge pogingen – niemand tot nu toe met enig feitelijk
materiaal, laat staan: 'de brief', heeft weten te ondersteunen. Er is niets
over te vinden in notulen van gemeenteraadsvergaderingen tussen
1878 en 1886 in het Noord-Hollands Archief, noch in 'Verhandelde in
de vergaderingen van Burgemeester en Wethouders', 'Beschikkingen
van Burgemeester en Wethouders' of 'Beschikkingen van den
Burgemeester van Haarlem'. Geen trefwoord 'Mulier' noch 'Koekamp'.
Wat natuurlijk wel te vinden is, is het gemeenteraadsverbod van 1882
op sport en speelplezier in De Koekamp, waarna pas in 1884 Rood en
Wit erin slaagt een akkoord met Van den Berg te sluiten. De gemeente
wilde er tot die tijd gewoon niet aan en ook vanuit die optiek is
Muliers verhaal uitermate onwaarschijnlijk.
Volgens Mulier was de brief ondertekend door 'Jhr. Mr. Adriaan
Teding van Berkhout'. Nico van Horn merkt daarover op dat
Teding van Berkhout op dat moment gemeenteraadslid was, en geen
wethouder of secretaris. 'Gemeentesecretaris was op dat ogenblik
J. Tielenius Kruijthoff. Hebben de "heeren", inclusief Pims vader
en de officiële huurder van de Koekamp een geintje met Pim willen
uithalen? Dat blijkt wellicht ook een beetje uit het weinig ambtelijke
taalgebruik.'[203]
Als H.F.C. in november 1886 wedstrijdvoetbal gaat spelen, zoals
we beneden zullen bespreken, is dat meteen op De Koekamp. Daar
worden dan ook, traceerbaar in alle seizoensamenvattingen in het
*Gedenkboek H.F.C. 1919*, tot eind 1890 alle thuiswedstrijden gespeeld.
Na nog een aantal terreinwisselingen betrekt de club in 1899 'het
prachtige veld aan de Spanjaardslaan',[204] waar nu nog steeds wordt
gespeeld.

X

# NOTULEN NOCH ANDERE BEWIJSSTUKKEN

## Hoe het jubilerende H.F.C. met data schuift en hagiografen Muliers 1879 sanctioneren

### H.F.C. jubileert, 1895-1919

Binnen de bijzondere geschiedenis van H.F.C.'s eerste jaren is de rondwarende oprichtingsdatum van 15 september 1879 wel extra bijzonder. Hij komt bovendrijven als uitvloeisel van verschillende jubileumvieringen van de club, en daarin pas tamelijk laat. Hier volgt ons verhaal over H.F.C. en deze datum.

Op 21 mei 1895 bevat het *Haarlemsch Dagblad* een sportbericht: 'Ter gelegenheid van haar vijftienjarig bestaan hield de "Haarl. Footb. Club" Zaterdag onderlinge wedloopen op haar terrein te Heemstede. De uitslag was als volgt. […] De prijzen, bestaande uit kunstvoorwerpen, werd des avonds op het smokingconcert, dat de feestelijkheden besloot, uitgedeeld.' Een variant van dit bericht verschijnt later in het *Gedenkboek H.F.C. 1919*, daar waar het voetbalseizoen 1894-1895 wordt samengevat. Het heeft H.F.C. op 24 maart met een 2-1 thuiszege op concurrent R.A.P. uit Amsterdam een kampioenschap opgeleverd: 'Ter gelegenheid van deze groote gebeurtenis en mede van het 15-jarig bestaan der H.F.C. worden op Zaterdag 18 Mei 1895 op haar veld te Heemstede hardloopwedstrijden voor adspirant-leden gehouden. 's Avonds 8½ uur smoking-concert voor de eere- en oud-leden en donateurs der H.F.C. in de bovenzaal van Café Brinkmann.'[205]

De feestelijkheden worden aangekondigd in een advertentie in het *Haarlemsch Advertentieblad*: 'Haarlemsche Football-Club. Zaterdag 18 Mei a.s. viering van het 15 jarig bestaan en het winnen van het Kamp. 1894/95'. Rewijk gebruikt een aankondiging van de feestelijkheden in *Nederlandsche Sport* om een verband te leggen met de oprichting van de club: 'In 1895 werd door H.F.C. het derde lustrum gevierd, hetgeen wijst op een stichting in 1880.'[206] Maar volgens ons wijst het op iets anders. Muliers *Athletiek en Voetbal* is net uitgekomen en daarin staat

H.F.C. in het seizoen 1893-1894, met beker van het (officieuze) kampioenschap in het voorafgaande jaar. Staand, van links naar rechts: R.A.C. Schut, Otto Menten, Pim Mulier, jonkheer Willem Schorer en J.H. 'Puck' Meijer. Zittend: Karel Ples, A.H. Putman Cramer, Piet Swens, Hubert Menten, S. Tromp, Frits Dolleman, Co van Manen en D. Flier. Bron: *Gedenkboek H.F.C. 1929.*

immers dat al 'in den winter van 1879-80' in Haarlem 'het voetbal-spel' werd gespeeld. Dit wordt serieus genomen in de viering van het jubileum aan het eind van het seizoen 1894-1895. Pim zal het toch wel weten, hij was erbij; en wie zal hem tegenspreken?

Het vertrek van Mulier naar Deli, Sumatra, in januari 1899 betekent dat hij afwezig is bij de feestelijkheden rond het vijfentwintigjarig bestaan in 1904. Het *Haarlemsch Dagblad* doet er in september uitgebreid verslag van.[207] September? Ja: de feestelijkheden zijn van mei verplaatst naar het begin van het seizoen, als de velden nog goed zijn en 'het zachte najaarszonnetje zijn stralen uitgoot over de groene vlakte en den feestelijken aanblik daardoor zeer verhoogde'.[208] Wat ook meetelt is dat inmiddels *Cricket* uit is gekomen, het derde sport-handboek van de erevoorzitter, waarin resoluut sprake is van 'de door schrijver in 1879 opgerichte H.F.C.'[209] Dan zou viering van het zilveren jubileum in het voorjaar van 1905 veel te laat zijn.

Het *HD* schrijft ondermeer: '[D]e feesten ter herdenking van het 25-jarig bestaan van de Haarlemsche Football-Club (H.F.C.) [vingen] Zaterdag aan met een Reunie-diner in het café-restaurant De Kroon.

Des Zondags werden op de terreinen van de club aan de Spanjaardslaan onderlinge wedstrijden gehouden', zoals doeltrappen, zigzag drijven met een voetbal, en kruiwagenraces. Bij atletiekonderdelen worden prijzen gescoord door de 14-jarige A.H.G. 'Anthony' Fokker, de tien jaar eerder vanuit Indië naar Haarlem gekomen latere hoogvlieger. 's Avonds is in De Kroon de afsluiting van het feestweekend van 17 en 18 september 1904.

Voor het jubileum van het 40-jarig bestaan wordt flink uitgepakt, niet in het minst met het befaamde, allereerste en veelgeciteerde *Gedenkboek H.F.C. 1919*.[210] Er is in dit jaar een opvallend groot aantal jubilea in de Nederlandse sportwereld, ook in Haarlem. De Haarlemsche Voetbal Bond jubileert, net als de Nederlandsche Voetbal en Athletiek Bond, maar ook de IJsclub Haarlem en Omstreken, in 1869 opgericht door Pims vader Tjepke, viert eind januari zijn 50-jarig bestaan met een ijsfeest op de baan aan de Kleverlaan.

De organisatoren van het 40-jarig H.F.C.-jubileum nemen simpelweg de najaarsviering van 1904 als uitgangspunt. Mulier, sinds 1905 terug uit de Oost en wonend in Scheveningen, is geen factor van belang meer in de Nederlandse sport, gepasseerd als hij is door nieuwe baasjes zoals Steven Coldewey, Jasper Warner en Carl Hirschman van de N.V.B., en door Frits van Tuyll van Serooskerken, sinds 1912 voorzitter van het door Mulier verwaarloosde Nederlandsch Olympisch Comité. Maar Lotsy geeft Mulier de gelegenheid zich in het *Gedenkboek H.F.C. 1919* te profileren als de *grand old man*, en dat doet hij met verve, onder andere met de claims over 1879.

De festiviteiten zijn uitgesmeerd over een lange periode. Op zondag 7 september is er een cross-country op het H.F.C.-terrein en een weekend later een klein voetbaltoernooi. H.F.C. wint door Be Quick Groningen in de finale met 4-0 te verslaan. Bij de veteranen wint H.B.S. Den Haag, met Mulier als middenvoor bij H.F.C. Aan het eind is er op zaterdag 25 oktober 'een receptie waar een buitengewoon groot aantal personen uit de voetbalwereld H.F.C. gehuldigd heeft'.[211]

### H.F.C. jubileert, 1929-1939

In 1929, het jaar nadat Lakkie en Pim de tijdlijn van cricket en voetbal in Haarlem 1880-1883 hebben uitgewerkt, viert H.F.C. het 50-jarig bestaan. Chris Groothoff, die als hoofdredacteur van *De Revue der Sporten* hun briefwisseling heeft begeleid, kondigt de nieuwe feestelijkheden in de *N.R.C.* aan, waarbij hij en passant schrijft: 'Het is op gezag van den heer Mulier, dat we moeten aannemen, dat H.F.C. in den winter van 1879 is opgericht en derhalve gerechtigd is thans haar vijftig-jarig bestaan te vieren. Van die oprichting bestaan geen notulen, geen mededeelingen in de krant, noch andere bewijsstukken.'[212] Eerlijker en juister hebben we het nergens gezien. Voelt Groothoff nattigheid?

Moment tijdens de jubileumviering van H.F.C., 3 september 1939: van links naar rechts voorzitter dr. C. Spoelder, onbekende dame (Pims tweede echtgenote, sinds mei 1923, nicht Maria Louise Haitsma Mulier?), Pim Mulier en H.F.C.-secretaris jonkheer Jo Mollerus. Bron: *Haarlems Dagblad* (4 september 1939).

Vijftig jaar, het feest beslaat nu maar liefst een kleine drie weken. Op 31 augustus en 1 september is er een toernooi van de vier Haarlemse clubs H.F.C., Haarlem, R.C.H. en E.D.O., dat H.F.C. zelf wint door Haarlem met 2-1 in de finale te verslaan. Na afloop is er diner bij Brinkmann. Op 7 september een veteranentoernooi, en op 8 september wedstrijden tussen 'de vier vereenigingen, welke het langst bij den N.V.B, zijn aangesloten': H.F.C., H.V.V. Den Haag, Hercules Utrecht en Robur et Velocitas Apeldoorn. H.V.V. wint, en na afloop wordt er weer gedineerd bij Brinkmann.

In het weekend van 14 en 15 september is de afsluiting. Op de zaterdag van receptie en feestavond in de Stadsschouwburg is er de 'vertooning van de nieuwe H.F.C.-film in de Rembrandt-bioscoop op de Groote Markt',[213] afgesloten met 'bal en souper'. Op zondag tenslotte vindt een clubreünie plaats op het H.F.C.-veld, met lunch, onderlinge wedstrijden, en – jawel – na afloop diner bij Brinkmann.

Een noodgedwongen veel ingetogener jubileumviering vindt plaats in het vooroorlogse jaar 1939. Op zondag 3 september is er een jeugd-dag waarop Mulier de eerste naar hem genoemde beker uitreikt aan clublid J. Berendsen als winnaar van een atletiekzeskamp. Een weekend later wordt de dan zeer invloedrijke voetbalbobo Karel Lotsy benoemd tot erevoorzitter, zodat Mulier zeer tegen zijn zin opschuift naar de positie van 'beschermheer'. In 2015 schrijft Gijs Zandbergen, de eerste biograaf van Mulier, daarover: 'Mulier vond Lotsy maar een omhooggevallen grensrechter die het clubbestuur zover had gekregen hem te "promoveren" tot beschermheer, zodat Lotsy zelf erevoorzitter kon worden. Mulier ervoer dat als een dolksteek in de rug en heeft om die reden de club jarenlang gemeden.'[214]

Op zondag wint Ajax een kleine vierkamp door in de finale Haarlem te verslaan. Daarna wordt, vanwege 'de mobilisatie', het oorspronkelijk opgestelde feestprogramma van 16 en 17 september uitgesteld en aanzienlijk vereenvoudigd. Op zaterdag 16 december is er een cabaretavond bij Brinkmann met speech van voorzitter C. Spoelder, en op zondag erna een reünie in het clublokaal aan de Zijlweg.

### Voetbaltactiek

Eind 1946, de tweede wereldbrand is voorbij, verschijnt in Amsterdam het merkwaardige boekje *Voetbaltactiek* van de hand van Chris Wedema, een Groningse sportenthousiasteling, die in de jaren dertig figureert in lokaal commissie- en bestuurswerk, voornamelijk in de atletiek, en bijdragen schrijft voor *De Sportkroniek*, het officiële orgaan van de Koninklijke Nederlandsche Voetbal Bond. Het boekje bevat geredigeerde versies van artikelen die de auteur in 1943 voor dat tijdschrift schreef.[215] *Voetbaltactiek* haalt het inhoudelijk niet bij bijvoorbeeld *Voetbal* van Chris Groothoff uit 1930,[216] maar wordt welwillend besproken in de kranten. Als inleiding op het eigenlijke onderwerp bevat het een flink stuk samengevatte voetbalgeschiedenis. Aangekomen in het Nederland van de late negentiende eeuw, merkt de auteur op dat hij 'een aaneengesloten verhaal over die niet alleen belangrijke, doch zeker ook belangwekkende periode van ons spel nergens [heeft] aangetroffen'; daarom: 'Te gelukkiger prijs ik mij, van den heer W.J.H. Mulier zèlf de nuchtere feiten, in chronologische volgorde, te hebben mogen ontvangen, en ze hier te kunnen weergeven.'[217]

We zijn gewaarschuwd.

Wat de blijkbaar niet zo erg belezen Wedema ook van Mulier heeft ontvangen, het resultaat is een geheel aan soms haast woordelijk overgeschreven stukken uit *Athletiek en Voetbal* en het *Gedenkboek H.F.C. 1919*. Met een opvallende uitzondering. We zetten de oorspronkelijke passage van Mulier naast Wedema's versie.

> Mulier, *Athletiek en Voetbal*, 1894, 169-170.
> Te Haarlem speelden in den winter van 1879-80 een 50-tal jongens, de meesten 13 à 14 jaar oud het voetbalspel. Wij speelden Rugby naar een boekje, hetwelk ik uit Engeland had gekregen en het ging er lustig bij toe. Uit die tijden van Olim herinner ik mij de namen: [...] Op een vergadering in de open lucht constitueerden wij ons tot de Haarlemsche Football Club.

Wedema, *Voetbaltactiek*, 44.

Hij bestudeerde die handleiding, verzamelde wat jongens om zich heen in Den Hout te Haarlem, legde uit en demonstreerde, en daar had je de bal aan het rollen … [O]p de Koekamp, werd toen **op 15 September 1879** in de open lucht de Haarlemsche Football Club gesticht. Een vereeniging van 40, 50 jongens, die de eerste club van Nederland uitmaakten.

De door ons vet gezette datum is de uitzondering – helemaal nieuw. Maar waar komt die vandaan?

De enige plausibele bron van de datum 15 september 1879 is de laatste dag, zondag, van de festiviteiten bij het gouden jubileum van 1929, de dag na de officiële receptie op zaterdag. In 1904 was er feest in het weekend van 17-18 september, daarnaartoe verschoven vanuit het voorjaar, de oorspronkelijke plek tijdens het 15-jarig jubileum in 1894. In 1919 werd de afsluitende receptie gehouden op zaterdag 25 oktober, en in 1939 werd de organisatie verstoord door de tijdsomstandigheden. Een uiterst 'roerende feestdag' dus.

Er zijn twee mogelijkheden: Wedema heeft zelf de datum in elkaar geknutseld op grond van de toegestuurde 'nuchtere feiten', en heeft zonder het zelf te beseffen een enorme *scoop*. Of Mulier heeft hem gesouffleerd. Bedenk daarbij wel, toen hij de kans kreeg een datum te noemen in het *Gedenkboek H.F.C 1919*, schreef hij: '[Ik zie] tegen die taak op als tegen 'n berg. Als ik m'n oogen dicht doe, zie ik wel tallooze blauw-witte truien, komen mij tal van namen voor den geest, enkele momenten van spanning ook, uit onze ontelbare veldslagen. Maar om dat alles te catalogiseeren? Het is al zoo lang geleden; ik ben zoo heel veel aardige episoden vergeten.'[218] Niet de woorden van een man die meer dan twintig jaar later precies weet hoe het zit. Dan maar, nu die Wedema er naar vraagt: 15 september. Hoe het werkelijk gegaan is, Wedema of Mulier, zien we beneden.

Na 1946 is de oprichtingsdatum niet langer roerend. Op 12 april 1954 overlijdt Mulier op 89-jarige leeftijd in Den Haag. Namens H.F.C. spreekt secretaris Jo Mollerus op zijn begrafenis, drie dagen later. De vereeniging is al bezig met de voorbereidingen van het 75-jarig jubileum en men gaat daarbij helemaal los. Het *Haarlems Dagblad* ontvangt al in juli 1954 een persbericht: 'Ter gelegenheid van het 75-jarig bestaan van H.F.C., Nederlands oudste voetbalclub op 15 september, heeft de jubileumcommissie een bijzonder uitgebreid feestprogramma samengesteld [etc.]'.[219] De festiviteiten lopen van 21 augustus tot en met zondag 12 september, met een receptie in de Haarlemse Vleeshal op zaterdag de 11e. Het *Gedenkboek H.F.C. 1954* wordt natuurlijk opgedragen aan Mulier.[220] Het heeft een lange titel, nu met oprichtingsdatum en al: *H.F.C. Haarlemsche Football Club. Gedenkboek uitgegeven ter gelegenheid van*

*het vijf en zeventig jarig bestaan. 1879 – 15 september – 1954.* Er staan stukjes geschiedenis in, vermoedelijk geschreven door Piet Peereboom, eindredacteur en hoofdredacteur van het *Haarlemsch Dagblad.* Muliers hele verhaal van 1919 wordt nog eens gerecycled, aangevuld met het hoofdstuk 'Van Ons Gouden Jubileum tot 1939', dat aldus begint: '15 september 1929 bestond H.F.C. 50 jaar en dit zou waardig herdacht moeten worden. De feestelijkheden waren eigenlijk reeds in augustus begonnen met het verspelen van de Mulier-beker, athletiekwedstrijden gecombineerd met vaardigheidsdemonstraties met het bruine monster [...].'
In 1955 promoveert aan de Universiteit van Amsterdam Cees Miermans op zijn pioniersproefschrift *Voetbal in Nederland.*[221] Jan Willem Kips, voorzitter van de K.N.V.B., leukt het op met een voorwoord, want het is het jaar waarin de bond zestig jaar bestaat. Miermans doet aan sterk sociologisch getinte geschiedschrijving. Hij plaatst voetbal, met een uit-gebreide historische schets, tegen de achtergrond van de beoefening van sport, spel, lichamelijke opvoeding en vrijetijdsbesteding in Nederland, in vergelijking natuurlijk vooral met Engeland. Voor de vroegste periode put hij rijkelijk uit het werk van Mulier. Maar niet alleen dat, hij is een nauwelijks mindere hagiograaf dan eerder Jan Feith. Mulier is voor hem 'de brenger en stuwer van verscheidene sporten van Engelse origine' in Nederland, hij 'bracht iets nieuws en propageerde en verbreidde dit' en is daarmee geworden de Nederlandse 'captain of sports'. Toegegeven, sommigen 'beweren, dat ijdelheid, een verlangen om te worden gevierd, bij hem een overheersende rol speelde', maar wat vooral ter zake doet is 'het gevolg van zijn optreden: *football werd van een incidenteel tot een geregeld maatschappelijk verschijnsel in de "betere kringen". Dit is de betekenis, die in eerste instantie aan Mulier kan worden toegekend.*' En wat betreft het historisch overzicht: 'De daarin verwerkte gegevens zijn deels van Mulier afkomstig, deels van een aantal sportbeoefenaars, die hem persoonlijk hebben gekend en later [...] zijn optreden, handelen en stuwen beschreven'. Geen wonder dat we lezen:[222]

'[D]e knapen, waarvan de 14-jarige Mulier de oudste was en tevens de leermeester, wilden zèlf beginnen. Hij legde jongens het spel uit, demonstreerde het en op 15 September 1879 werd in de open lucht de Haarlemsche Football Club (H.F.C.) opgericht, een vereniging van 40 tot 50 jongens. [...] Het spel dat ze beoefenden was rugby-football.'

Zo wordt in 1955 de 'oprichtingsdatum' ook academisch gesanctioneerd.

XI

# HARE MAJESTEIT HEEFT GUNSTIG BESCHIKT

## Hoe H.F.C. het dertig jaar lang probeert, maar in 1959 dan toch koninklijk wordt

### Liefst spoedig antwoord

De Haarlemsche Football Club is 'Koninklijk' en is dat sinds 1959,
verkregen bij de viering van het 80-jarig bestaan. De kranten melden het
dan zo:[223]

'Oudste voetbalclub in Nederland: H.F.C. werd koninklijk. De oudste
Nederlandse voetbalclub, H.F.C. te Haarlem, is ter gelegenheid van
het tachtigjarig bestaan het predikaat koninklijke verleend, een
onderscheiding welke tot heden nog niet aan een voetbalvereniging is
toegekend. Het koninklijk besluit is zaterdagmiddag [12 september] na
afloop van de erewedstrijd tussen het eerste elftal van H.F.C. en spelers
van elf oude amateurclubs bekend gemaakt. Men verenigde zich bij
de tribune, waar de commissaris van de Koningin in de provincie
Noordholland, dr. M. J. Prinsen, die de aftrap van de voetbalwedstrijd
had verricht, mededeling deed van het besluit. Daarbij memoreerde hij
de verdiensten van de jubilerende club en bestuursleden en voetballers
die in de loop der jaren hun krachten hebben gegeven. Voordat dr.
Prinsen het woord voerde eerde de voorzitter van H.F.C., de heer P.C.
van Houten, de nagedachtenis van de overleden erevoorzitter van
de club, de heer K. J. J. Lotsy. Hierna werd een minuut stilte in acht
genomen. Terwijl de echtgenote van de commissaris der Koningin,
mevrouw Prinsen-de Jong, een nieuwe clubvlag van H.F.C., waarop de
cijfers 80 zijn aangebracht, hees, zongen de aanwezigen het Wilhelmus.'

Het Archief van het Kabinet van de Commissaris van de Koningin van
de Provincie Noord-Holland in Haarlem herbergt een dossier waarin
de procedure van deze predikaatverlening kan worden teruggevonden.
Maar niet alleen dat: een dertig jaar lange weg ernaartoe kan met behulp
ervan worden gereconstrueerd, en zo wordt precies duidelijk waar de

'oprichtingsdatum' van 15 september vandaan komt.

De procedure naar koninklijke goedkeuring bestaat uit een op-
lopende reeks: de betreffende vereniging richt een verzoek tot de
burgemeester, die een verzoek richt tot de commissaris van de
koningin, die zich met adviezen en stukken richt tot het kabinet van
de koningin. Het antwoord gaat in omgekeerde richting. In het geval
van H.F.C. wordt deze procedure succesvol afgerond met een brief
gedateerd 17 augustus 1959, van 'De Grootofficier in Speciale Dienst
van Hare Majesteit de Koningin, Mr. J.C. Baron Daud' aan 'de heer
Commissaris der Koningin in de provincie Noord-Holland, Haarlem',
op dat moment de bovengenoemde dr. M.J. 'Max' Prinsen, een in
Heerenveen geboren Fries, die de functie bekleedt van 1954 tot 1964.
De inhoud ervan luidt:

> 'Onder verwijzing naar uw schrijven d.d. 7 Augustus j.l., No. 1371,
> betreffende het verzoek van de Burgemeester van Haarlem om
> toekenning van het praedicaat "Koninklijke" aan de Haarlemsche
> Football Club ter gelegenheid van de herdenking van het 80-jarig
> jubileum op 13 September a.s., heb ik de eer Uhoogedelgestrenge te
> berichten, dat hare Majesteit gunstig op het bovenbedoelde verzoek
> heeft beschikt. Het desbetreffende diploma sluit ik hierbij in, met
> beleefd verzoek dit aan de vereniging te willen doen uitreiken op de
> dag, waarop het 80-jarig jubileum zal worden herdacht.'

Hare Majesteit is op dat moment Wilhelmina, die Baud het goede
nieuws laat overbrengen veertien dagen voor haar negenenzeventigste
verjaardag. Hoewel de feestelijke uitreiking uiteindelijk plaats vindt
op 12 september, is het proces in gang gezet door een brief van 29
april 1959 van het bestuur van H.F.C. met als voorzitter de genoemde
P.C. 'Piet' van Houten, 'directeur bij de Holland-Amerika Lijn', aan
'de Hoogedelachtbare Heer Mr. O.P.F.M. Cremers, Burgemeester
van de gemeente Haarlem', die begint met: 'Op 15 September a.s.
hopen wij het tachtigjarig bestaan van onze vereniging te herdenken.
Het is U ongetwijfeld bekend, dat H.F.C. de oudste voetbalclub in
Nederland is, die het voetbalspel in Nederland heeft geïntroduceerd
en daarbij steeds een belangrijke taak had en nog heeft ten opzichte
van het jeugdwerk.' Hierna volgt twee kantjes toelichting, met de
oprichting van de club door Mulier in 1879, de vele bijdragen aan het
Nederlandse voetbal door Karel Lotsy, en nog eens het 'jeugdwerk'.
Dat leidt uiteindelijk tot het gewenste succes.

Maar het dossier bevat niet alleen de briefwisseling van de procedure
van 1959. Het schetst via een hele reeks stukken de lange weg
ernaartoe. Intrigerend materiaal, dat een periode beslaat van dertig
jaar.

### 1929-1959

In 1929 viert H.F.C. volgens Muliers telling het vijftigjarig bestaan, typisch een moment om een gooi te doen naar 'koninklijk'. De tijd lijkt daarvoor rijp. De Nederlandsche Automobiel Club, opgericht in 1898, had al in 1913 succes, maar dat was meer een belangen- vereniging dan een sportverband. Het Gymnastiekverbond werd koninklijk in 1919, daarna volgden de Nederlandsche Schaatsen- rijdersbond bij het 40-jarig bestaan in 1922 en de Nederlandsche Athletiek Unie in 1926 bij 25 jaar. Het zijn organisaties uit sport- werelden die zich in Muliers warme belangstelling hebben mogen verheugen. Speciaal de toekenning in 1925 aan de 75-jarige 'De IJsclub' uit Leeuwarden zal in Haarlem de oren hebben doen spitsen. H.F.C. gaat aan de slag.

Op 22 juni 1929 schrijven voorzitter dr. Cornelis Spoelder en secretaris jonkheer Johan Cornelis 'Jo' Mollerus namens het H.F.C.- bestuur een brief aan Cornelis Maarschalk, Haarlems burgemeester van 1919 tot 1937, die drie kantjes beslaat en waarin hij als volgt wordt gesouffleerd:

> '[...] dat de H.F.C. bovengenoemd, zijnde de oudste voetbal- vereniging van Nederland, op 15 september 1929 haar vijftigjarig bestaan zal herdenken; dat de oprichting dezer vereniging in 1879 door de Heeren W. Mulier, Jonkheer D.E. van Lennep, Jonkheer J.H. Schorer en eenige anderen, beschouwd kan worden als het begin der georganiseerde sportbeoefening in Nederland, die zich nadien uit deze kern, ontstaan in Haarlem, zoo sterk heeft ontwikkeld, dat de sport allengs als een factor van belangrijke maatschappelijke betekenis zich laat gelden en in de opvoeding der jongere geslachten van nederland een belangrijke rol is gaan spelen, die zeer zeker het Nederlandsche volk ten goede is gekomen.'

De commissaris van de koningin, op dat moment Antonie baron Roëll, die de functie van 1915 tot aan zijn overlijden in 1940 bekleedt, vraagt per antwoord van 31 juli aan de burgemeester om goede onderbouwing: 'of mijnerzijds termen zouden kunnen gevonden worden hiertoe de noodige stappen te doen'. Hij vraagt speciale aandacht voor een vaagheid in de stukken: 'Bij Uw, liefst spoedig, antwoord, zal ik er voorts prijs op stellen den juisten datum van de feestviering te vernemen.'

Oef! – Roël wil een oprichtingsdatum. Groothoff schrijft diezelfde maand in de *N.R.C.* hoe het werkelijk zit, met zijn 'van die oprich- ting bestaan geen notulen (...) noch andere bewijsstukken', maar het bestuur neemt een gok, per brief van 3 augustus:

'Ik heb de eer U naar aanleiding van Uwen nevensvermelden
brief het volgende mede te deelen. De Haarlemsche Football Club
(H.F.C.) is opgericht op 15 September 1879. De feestelijkheden ter
herdenking van het 50-jarig bestaan worden gehouden in het tijdvak
van 24 Augustus tot en met 15 September a.s., doch de dag van 15
September moet als datum van de feestviering worden beschouwd.'

Een jubileumprogramma waarin de datum van 15 september voor het
eerst in de clubgeschiedenis, en ook nog eens bij toeval, een rol speelt,
wordt gepresenteerd als de bron van het exacte moment van oprichting.
Het dossier bevat geen stukken betreffende het lot van de aanvraag,
maar die zullen er ook niet geweest zijn. Er blijkt tegelijkertijd eenzelfde verzoek te hebben gelopen van de N.V.B. bij het 40-jarig bestaan
van deze landelijke bond. Tien jaar jonger, maar: beloond, door H.M.
de Koningin, eind november. De jaarlijkse 'algemene vergadering' van
de kersverse K.N.V.B. is een groot feest in de R.A.I. op 8 december,
met hoogwaardigheidsbekleders present, en handenvol redenaars. Het
middelpunt is voorzitter Jan Willem Kips, in 1919 opvolger van Jasper
Werner. Hij noemt de succesvolle bond 'het product van Mulier's
geniale conceptie en van Werner's werk'.[224]
Men kan zich afvragen of het 'genie', de dubbele erevoorzitter Mulier,
wist van de parallelle aanvragen. Niemand hangt zo'n poging aan de
grote klok, en twee keer 'koninklijk' voetbal is duidelijk te veel van
het goede. Hij zal de uitkomst waarschijnlijk als een nederlaag hebben
ervaren.
Voor de oorlog gebeurt er niets meer, maar als die eenmaal achter de
rug is, publiceert Wedema in 1946 zijn *Voetbaltactiek*. Het is dus niet
Wedema die de datum van 15 september 1879 in elkaar klust, het was
het bestuur van H.F.C. in 1929, waarna Mulier het de Groninger toe-
levert als een van zijn 'nuchtere feiten'. Vermoedelijk met potlood erbij
gekrabbeld in een exemplaar van *Athletiek en Voetbal*, want hij zal de
afgewezen aanvraag, als hij die al had, niet hebben meegestuurd.
1954 is het jaar van het 75-jarig jubileum. Mulier overlijdt op 12 april,
maar vlak daarvoor, per brief van 26 maart, wordt er een nieuwe
poging gedaan. Misschien heeft hij het nog net meegekregen. Hoewel de 'oprichtingdatum' van 15 september in de publiciteit nu voluit
wordt gebruikt, speelt hij geen rol in de stukken. Daarin is juist sprake
van een 'verzoek om toekenning van het Praedicaat "Koninklijke" ter
gelegenheid van het 75-jarig bestaan op 11 september 1954', de dag
van de afsluitende feestelijke receptie van dit jubileum. De reactie van
de pas benoemde Commissaris van de Koningin dr. M.J. Prinsen zal
als een bom zijn ingeslagen. Het zijn speciale tijden. Via burgemeester
Cremers heeft Prinsen inlichtingen ingewonnen bij de Commissaris
van Politie te Haarlem, die vervolgens stukken heeft opgevraagd bij de

Jonkheer dr. Johan Cornelis 'Jo' Mollerus in 1954.
Bron: *Gedenkboek H.F.C. 1954*, 81.

Gemeentepolitie te Bloemendaal. Daarin wordt een naam genoemd.
En, schrijft Prinsen op 21 juni 1954 aan grootofficier Baud: 'Hieruit
blijkt, dat betrokkene een schriftelijke berisping met bekendmaking in
de Staatscourant van de zuiveringscommissie heeft gehad en door de
Procureur-Fiscaal voorwaardelijk buiten vervolging is gesteld.'
Uit het bijgevoegde 'Extract uit p.v.' van de 'Stand van Inlichtingen'
van 3 mei 1948 blijkt dat 'betrokkene' de secretaris van het H.F.C.-
bestuur is, jonkheer Jo Mollerus, geboren te Apeldoorn, 29 september 1891, in het dagelijks leven 'Secretaris Kamer van Koophandel
te Haarlem'. In het 'p.v.', het naoorlogse 'persoonlijk verhoor' van
twijfelachtige figuren, is onder andere opgetekend: 'Steun Winterhulp
Nederland. Schreef artikelen in het blad "De Zakenwereld", welke
leiding fout was.' Las *Volk en Vaderland* op kantoor, dwong personeel
zich te melden bij de bezetter 'uit bangheid voor kantoor Amsterdam',
omgang met een N.S.B.'er. En nog zo wat. Prinsen weet genoeg:
'Hoewel ik gaarne, aangezien het hier de oudste voetbalvereniging van
Nederland betreft, een gunstig advies zou hebben uitgebracht, durf ik
dit, gelet op het bovenstaande, thans niet te doen, vooral omdat het
hier een van de voornaamste bestuursleden betreft.'
Jonkheer Jo Mollerus is dan al 36 jaar secretaris van H.F.C., hij
vierde midden in de oorlog zijn 25-jarig jubileum.[225] Een paar zaken
van de jaren dertig, sportief en politiek, vallen door deze reactie op
hun plaats. Op 21 februari 1933 wordt in Den Haag het Verbond tot
Nationaal Herstel opgericht, een beweging met aanhangers zowel uit
de rechts-christelijke hoek als uit het teleurgestelde communisme.
Terwijl er voortdurend wordt gediscussieerd over de verhouding tot de
N.S.B., schaart de partij zich ideologisch achter het Italiaanse fascisme,

dat als 'zuiverder' wordt gezien dan het Duitse nationaal-socialisme, dat – zo hoopt men – binnen afzienbare tijd tot inkeer zal komen, om dan werkelijk fascistisch te worden. Bij de verkiezingen voor de Tweede Kamer in 1934 staat Mollerus op plaats 9 van de lijst, maar de partij blijft steken op één zetel. Hij lijkt geen prominent lid te zijn geweest, en wordt ook verder niet in deze context genoemd.[226]

In december 1933 vindt er een bestuurswisseling plaats bij de Nederlandsche Biljart Bond. Voorzitter J. Sanders treedt af in verband met de 'Duitsche kwestie' en wordt opgevolgd door Mollerus, de voorzitter van de biljartafdeling van de Sociëteit Vereniging in Haarlem, 'zoodat de wensch van velen thans in vervulling is gegaan en niet in het minst van den heer Sanders, dat een niet-Jood leider van het vertegenwoordigend lichaam op biljartgebied is geworden'.

De Duitsche kwestie? Een niet-Jood? 'Sanders heeft gemeend, ter wille van een principekwestie, waarin zeker lang niet allen aan zijn zijde stonden, het vaandel te moeten verlaten. Hij wilde Duitschland uitsluiten, om der wille van wat dat land den Joden had aangedaan: de internationale federatie wilde zich niet bemoeien met Duitschlands binnenlandsche aangelegenheden en bleef onzijdig; de Nederlandsche biljarters schaarden zich bij meerderheid van stemmen aan de zijde van de Internationale Federatie. Sanders ging heen, verliet toch liever een toch zoo graag bezette plaats – een plaats, die hij altijd met eere had ingenomen en waar hij waardeering had ondervonden – dan een overtuiging prijs te geven.'[227] In augustus 1934 wordt Mollerus in Wenen verkozen tot vice-voorzitter van de Union Internationale des Fédérations d'Amateurs de Billard.

De naoorlogse zaak-Mollerus kan tenslotte nog een stap complexer. In 1951 bestaat de Nederlandse Biljart Bond 40 jaar. Men recipieert op zondag 16 september in Hotel Victoria in Amsterdam en krijgt bezoek: 'Dr J. Miedema, chef van de afdeling Lichamelijke Opvoeding van het Ministerie van O., K. en W., complimenteerde het jubilerende bestuur en deelde mee dat de Koningin de Nederlandse Biljartbond het praedicaat "Koninklijk" had verleend. Spr. uitte zeer waarderende woorden en legde er de nadruk op, dat de biljartsport als vrijetijds-besteding een echte sport is geworden.' En: 'De voorzitter van de Koninklijke Nederlandse Biljartbond, jonkheer dr. J. C. Mollerus dankte allereerst voor de onderscheiding die de bond ten deel was gevallen en daarna de verschillende sprekers. Tijdens de receptie werden ook veel gelukwensen aangeboden door andere organisaties die veelal hun felicitaties vergezeld lieten gaan van bloemen.'[228]

Kafka in actie.

Een duidelijk verschil in bestuurlijke stijl blijkbaar tussen een nieuwe, voorzichtige commissaris der koningin en zijn voorganger, dr. Jacob Evert de Vos van Steenwijk, oud-burgemeester van Haarlem en de eerste naoorlogse commissaris van 1945 tot 1954, die bij zijn afscheid vooral wordt geprezen als de man van de wederopbouw van de provincie.[229]

### De aanhouder wint

Op 12 januari 1956 stelt Piet van Houten, voorzitter van H.F.C., een verklaring op waarin een gewijzigde bestuurssamenstelling wordt vermeld, nu zonder Mollerus. Secretaris sinds 1 september 1955 is Christiaan Godfried van Houten, broer van de voorzitter. Grootofficier Baud bericht de commissaris der koningin op 13 januari 'het op prijs [te] stellen te mogen vernemen of hiermede Uw bezwaren tegen de toekenning van dit Praedicaat aan deze Vereniging als vervallen mogen worden beschouwd.' Maar Prinsen geeft zich nog niet gewonnen, nu door per brief van 8 maart te wijzen op een procedure- kwestie – en daar is deze zin van 87 woorden voor nodig:

'Hoewel ik begrip heb voor de bijzondere plaats die "H.F.C." als oudste voetbalvereniging van Nederland in deze tak van sport inneemt, kan ik tot mijn leedwezen, gelet op de omstandigheid dat het niet wenselijk moet worden geacht, dat naast een Koninklijke Nederlandsche Voetbalbond ook een daaronder ressortende vereniging zich met het praedicaat "Koninklijke" zou tooien, waardoor ten aanzien van andere verenigingen, welke, in de eerste periode van deze sport werden opgericht, een precedent zou worden geschapen, bij nadere overweging geen vrijheid vinden dit verzoek thans te steunen.'

Prinsen heeft een regel uit de kast gehaald, toepasbaar te zijner discretie, dat als een overkoepelend orgaan 'koninklijk' wordt, aanvragen van daaronder ressorterende eenheden (verenigingen, provinciale bonden, wat dies meer zij) kunnen worden afgewezen. En 'De IJsclub' uit Leeuwarden dan in 1925? Die ontsnapte daaraan, omdat hij geen lid was van de Schaatsenrijdersbond. Mooi voor de Friezen, maar wat nu in Haarlem? H.F.C. heeft een bewonderens- waardig doorzettingsvermogen. Het is 1959, het 80-jarig bestaan. Eindelijk, na vijf jaar geeft Prinsen murw toe, per brief aan Baud van 7 augustus 1959:

'Intussen meen ik bij nadere overweging op mijn vroeger advies te moeten terugkomen. Ook op ander terrein – ik denk aan de harmonie en fanfarekorpsen – wordt het Praedicaat "Koninklijke" aan meerdere verenigingen verstrekt. […] Echter ook indien men in deze een beperking zou willen nastreven kan, gelet op beleid dat in het algemeen in deze wordt gevoerd, een afwijzing van het verzoek van H.F.C. moeilijk worden gerechtvaardigd. Het is de oudste voetbalclub van ons land, die zowel in het verleden, maar ook thans nog zich bijzondere moeite geeft voor de voetbalsport en daarbij een eerste plaats weet in te nemen.'

H.F.C. gered door Musis Sacrum en St. Lucia. Op 12 september 1959 is het feest in Haarlem.

In het *Gedenkboek H.F.C. 1979*, bij 100 jaar, begint H.F.C.-voorzitter D.A. Oud zijn voorwoord aldus: 'Op 15 september 1979 zal onze Kon. H.F.C. haar 100ste verjaardag vieren.' In het *Jubileumboek 1989*: 'Op de omslag van de kleine H.F.C.-er staat te lezen: 15 september 1989, 110 jaar voetbal in Nederland. Dat klinkt parmantig, maar is wel waar. Immers met de oprichting van de Haarlemsche Football Club H.F.C. werd op 15 september 1879 de voetbalsport in Nederland geïntroduceerd. H.F.C. was een privé-initiatief van de legendarische Willem Johan Herman 'Pim' Mulier (1865-1954).'

In het meest recente *Jubileumboek*, dat van 2004, schrijft de club-voorzitter in een voorwoord onder het hoofdje 'Voor eens en voor altijd... H.F.C. 1879': 'Voor zover 15 september als oprichtingsdatum van onze vereniging ter discussie stond of staat, H.F.C. twijfelt geen moment aan de juistheid van zijn geboortedatum.'[230]

Dat mag.

De laatste versie van de Statuten bevat als artikel 1.1.: 'De vereniging is genaamd Koninklijke Haarlemsche Football Club "H.F.C." en werd opgericht op vijftien september achttienhonderd negen en zeventig op initiatief van Pim Mulier. Zij heeft haar zetel in Haarlem. Op zeventien augustus negentienhonderd negen en vijftig werd haar het predicaat Koninklijk verleend.'

Het predicaat is op 31 augustus 2010 'bestendigd' voor 25 jaar, per brief van 'F.L.M. Duijn, Secretaris in Algemene Dienst van hare Majesteit de Koningin' aan 'de Hoogedelgestrenge Heer J.W. Remkes, Commissaris van de Koningin in de Provincie Noord-Holland', in Haarlem.

# XII
# DE EERSTE VOETBALCLUB

## Hoe H.F.C. sluimert en Nederlands voetbal tussen 1884 en 1886 een grote vlucht neemt

**Noorthey, Amsterdam, Haarlem**
Voetbal wordt in 1877-1878 in Nederland geïntroduceerd op het jongens-instituut Noorthey in Veur. We betogen dat dat 'association'-voetbal was, of daar dicht bij lag, eerder 'soccer' dan 'rugby', op grond van de beschrijving ervan in het *Noortheysch Nieuwsblad*. Jongens die samen tegen een bal trappen, nadat de instituutsdirecteur hoogstpersoonlijk een voetbal heeft besteld. Ook in Noorthey: geen notulen van een cluboprichting, maar wel schriftelijk bewijs van het eerste tijdstip dat er gevoetbald wordt. Een klein soort 'FC Noorthey'.
Er worden in 1882 een aantal clubs opgericht die in verband kunnen worden gebracht met 'football' in een (min of meer) georganiseerde vorm. Mulier beschrijft een korte periode rond 1882 van voetbal binnen de club Hollandia in Leiden, die daarna overgaat op, of doorgaat met, cricket. Vanwege de geografische nabijheid ligt het voor de hand hierbij betrokkenheid van Noorthey-leerlingen of leraren te vermoeden, wat op soccer-voetbal zou wijzen, maar vooralsnog niet meer dan dat.
Mulier heeft op een paar plaatsen geschreven over de invoering van voetbal in Amsterdam, ook in relatie tot Haarlem. We zetten ze onder elkaar.

*Athletiek en Voetbal*, 1894, 135, 169-170.
'Op een vergadering in de open lucht constitueerden wij ons tot de Haarlemsche Football Club. Ongeveer tegelijkertijd begon men in Amsterdam het spel te spelen, dit gebeurde in elk geval niet later dan in den winter van 1880/81. [...] Rugby [...] wordt hier te lande niet meer gespeeld sinds 1882 of 1883, daar toen de Haarlemsche F.C. en de Amsterdamsche club "Sport" het verwisselen tegen Association.'

*Cricket*, 1897, 130.
'[D]e op 25 Maart 1882 opgerichte Cricket en Footballclub "Sport" [...] was een zeer chique club.

Oudst bekende voetbalelftalfoto (met docenten) van het jongensinstituut Noorthey: 8 april 1894. Na de heropening in 1888 wordt op 4 oktober 1889 de multidisciplinaire Sportclub Noorthey opgericht, met doelstellingen die vastgelegd zijn in: *Reglement der "Sportclub Noortheij," Opgericht 14 oktober 1889*. [S.l.: s.p.], [1889]. Bron: NA32214.

> *Gedenkboek H.F.C. 1919*, 11.
> 'Ik noodigde in den herfst van '80, '81 en '82 wel menschen uit Amsterdam, Rotterdam en Den Haag uit om kennis te maken met ons spel; maar het leidde niet tot oprichting van zusterclubs in die steden. [...] We hadden eerst aansluiting met Amsterdam, waar in den winter van '80/81 een vereeniging tot stand kwam...'

Zelfs op één en dezelfde pagina 11 van het *Gedenkboek H.F.C. 1919* verstrekt Mulier hierover dus volstrekt tegenstrijdige mededelingen. Onze reconstructie voor Amsterdam was eerder al als volgt. Jonge alumni van Noorthey komen in de jaren tachtig terug in Amsterdam. Op 25 maart 1882 wordt daar "Sport" opgericht, als cricketclub. Football verschijnt dan nog niet in de naam en wordt niet door de club georganiseerd, maar het wordt waarschijnlijk wel in de omgeving van de club, zelfs door leden ervan, beoefend. In 1885 wordt de naam en bestuursstructuur van "Sport" omgezet van 'Cricket Club' naar 'Cricket en Football Club'. Hieruit concluderen we de continue beoefening van voetbal (= *soccer*) door de ex-Noortheyenaars en hun vrienden in Amsterdam.

In Haarlem begint rugbyvoetbal in Haarlem waarschijnlijk in de loop van 1881 informeel, door een groep van de daar een jaar eerder opgerichte cricketclub Rood en Zwart, onder aanvoering van de dan 16-jarige Mulier. Voor H.F.C. houden we de oprichtingsdatum 17 december 1882 aan uit de *Sportalmanak* van 1888. Vanaf deze tijd kan er op clubniveau zijn uitgewisseld met andere steden, zij het nog steeds als 'oefening', nog niet met wedstrijden.

De overgang van rugby naar voetbal in Haarlem is een aparte issue. Tijdens een algemene vergadering van Rood en Wit op 24 september 1884 oppert Pieter Posthuma, de *cricket-crack* van de club en broer van Carstjan, om tijdens het winterseizoen *football* te gaan spelen, wat 'de algemeene goedkeuring' van de aanwezigen krijgt. Posthuma, die door Mulier een van zijn grootste vrienden wordt genoemd, verklaart 'zich bereid voor bal & goals te zullen zorgen'.[231] Zoals Mulier-biograaf Rewijk observeert was Mulier toen net vertrokken naar een handels-school in Lübeck,[232] waar hij overigens geen twee jaar, maar een klein schooljaar zou verblijven, want in juli 1885 begint hij zijn trainings-dagboek in Haarlem. Op 29 november wordt tijdens een algemene vergadering van Rood en Wit door Pleyte gevraagd wie er aan het 'football' mee willen doen. Op een daartoe beschikbare lijst wordt redelijk enthousiast ingetekend, namelijk door Kees Pleyte, Piet en Carstjan Posthuma, Boudewijn J. Couvée, Theo Peltenburg, Sandberg en Leendertz.

De niet door Rewijk gestelde, maar wel geïmpliceerde, vraag is: waarom was het nodig om een voetbalafdeling van Rood en Wit op te richten als H.F.C. al bestond? Wat nu sterk begint op te vallen, is hoe weinig er bekend is over activiteiten van H.F.C. na de veronderstelde oprichting. Men ging, zegt Mulier, in of rond 1883 over van rugby naar voetbal en *that's it*. Jarenlang geen berichtjes in kranten, in gedenkboeken, in archieven, wat dan ook. Het lijkt er nog het meest op, dat het clubje in 1884, en waarschijnlijk al sinds eerder, een sluimerend bestaan leidt, vandaar ook dat Posthuma een kans ziet. Tekenend in dit verband is een vraag die Rood en Wit-lid Couvée later tijdens de bovengenoemde algemene vergadering op 29 november 1884 stelt. Terugkomende op het voetbalvraagstuk wenst hij ingelicht te worden of 'de footballclub een gedeelte der CC R&W uitmaakt ofwel een geheel op zich zelf staande club is'. Waarop Bram Beets voorstelt 'dat dit, voor het administrative gedeelte beter, een apparte club is, daar de kosten van goals en ballen dan hoofdelijk worden omgeslagen'. Beets acht het 'wenschelijk hiervoor een nieuw bestuur te kiezen, dan kunnen niet leden der C.C. ook lid der football club worden'. Waarna Kees Pleyte voorstelt 'dus een nieuwe oproeping te

Omslag van Pim Muliers *Athletiek en Voetbal* uit 1894.

doen plaats vinden tot de verkiezing van een bestuur voor de football club'.[233] Geen seconde speelt H.F.C. een rol.

Overigens is 'WJ Mulier' tijdens die algemene vergadering afwezig 'zonder kennisgeving.'[234] Het is de enige keer in het seizoen 1884-1885 dat Mulier als zodanig wordt benoemd. Het kan niet anders of men wist waar hij was, maar kennelijk had men het op prijs gesteld als hij zich per briefje had afgemeld. Een goed geordende club, immers. Mulier ontbreekt ook tijdens algemene vergaderingen rondom de kerstvakantie, op 20 december 1884 en 5 januari 1885. Pas in de bestuursvergadering van 14 juli 1885 duikt zijn naam weer op, bij de benoeming van de matchspelers. Men weet dan immers zeker dat hij weer terug is: '10 Mulier, long off, long leg'. Hij is volgens zijn eigen "Sportdagboek" dan al flink in training, hij loopt op die dag weer eens zeven kilometer. Hij is pas weer lijfelijk aanwezig bij de algemene vergadering van 1 september 1885.

Ook hier geldt dat het opschuiven van Muliers tijdlijn, in dit geval het aanzienlijk opschuiven, ruimte schept. Terug uit Lübeck blaast hij zijn clubje tweede helft 1885 nieuw of überhaupt leven in met soccer, en in Amsterdam doet een nieuwe generatie bij "Sport" rond die tijd hetzelfde. Of in Haarlem misschien zelfs nog later: als Mulier terug is van zijn winterse verblijf in Zweden, na februari 1886.

**Meer clubvoetbal vanaf 1882**

Wat is er nog meer aan langzamerhand georganiseerd voetbal, in het land? Zoals we al schreven vermeldt Mulier in *Cricket* dat op 1 mei 1882 in Haarlem de Cricket en Football Club 'Volharding' wordt opgericht, die in 1884-1885 inderdaad cricket speelt, maar er is geen enkel bewijs dat deze club ooit aan voetbal doet en hij wordt niet genoemd in *Athletiek en Voetbal*. Mocht dat bewijs er ooit komen, dan zal dat opmerkelijk zijn, want dan is Volharding mogelijk eerder opgericht dan H.F.C. En zou in dit loerende gevaar de oorzaak kunnen liggen van de latere antedatering in de *Sportalmanakken* van de oprichtingsdatum van H.F.C. naar 1881.

Opmerkelijk is dat het Deventerse U.D. de kans heeft laten lopen al vroeg een *football*-club te worden. John Richard Dickson Romijn – zijn vroegere kornuiten heeft hij nog niet vergeten – schrijft vanuit Engeland in de winter van 1882-1883 een brief waarin hij oppert naast cricket football op te pakken. Terugkijkend is het enigszins verwonderlijk dat deze Nederlandse Engelsman U.D. niet al in 1875 aan het voetballen heeft gebracht. Hij is er blijkbaar later in Engeland wel enthousiast voor geraakt.[235] Maar men gaat er in bestuurs- vergaderingen niet op in en U.D. wordt pas een voetbalvereniging als in mei 1894 wordt gefuseerd met de een jaar eerder opgerichte Deventer Cricket en Football Club Excelsior. Het betekent zelfs de redding van het totaal ingedutte U.D. De volgende keer dat de club een bericht krijgt uit Engeland, is in januari 1937, als er plotseling nieuw- jaarswensen arriveren van Dickson Romijn, waarna hij – zo blijkt uit correspondentie met zijn vrouw Mabel E. Romijn – ernstig ziek blijkt te zijn en op 28 februari overlijdt.

In Den Haag wordt al sinds 1878 door H.C.C. succesvol gecricket, maar de vroegste fase met verschillende cricket- en voetbalclubs is zo complex, dat het *Eeuwboek der H.V.V. 1883-1893* er een pagina- groot stroomdiagram voor nodig heeft,[236] overigens zonder zich te bekommeren om onderbouwing daarvan uit solide bronnen. De voetbalclub Olympia ontstaat in 1883 uit de in 1881 opgerichte cricket- club van die naam; hij ondergaat in 1888-1889 een naamsverandering tot eerst 's-Gravenhaagsche F.C. en dan Haagsche Voetbal Vereeni- ging, die later wordt geherinterpreteerd als de Adam van het Haagse voetbal, met name in jubilea, zoals het eeuwfeest in 1983.

Haarlem, Amsterdam, Den Haag – Rotterdam kan niet achterblijven: 'onderling spelende bestaat [Rotterdam] toch reeds als Rott. C. en V.C. Concordia in 1884 en neemt in 1887 zeer in bloei toe', schrijft Mulier; de precieze datum van oprichting is 6 mei 1884. Daarnaast wordt de Rotterdamsche Cricket- en Footballclub Olympia opgericht op 23 mei 1885, begint controleerbaar met voetbal in het jaar daarop en fuseert in 1891 met Concordia tot de R.C. en V.V. Rotterdam. Deze club bestaat daarna nog maar twee jaar.[237]

Het oosten des lands gaat ook meedoen, onafhankelijk van wat zich in het westen afspeelt. De stralende primeur daar heeft Jan Bernard van Heek (1863-1923), de oudste zoon van de textielfabrikant Gerrit Jan van Heek. Bernard heeft in de Engelse textielindustrie stage gelopen, in de tweede helft van 1884 in Burnley, Lancashire, niet ver van Manchester. Hij maakt er onvermijdelijk kennis met voetbal en 'wist zich als uiterste linkerwing een plaats te veroveren in 't elftal der Burnley Manufacturers in hun wedstrijd tegen Football Committee, en hoewel aan de verliezende zijde, had hij toch de hand in de 2 goals, die zijne partij wist te verkrijgen.'[238] De eerste Nederlander ooit die in Engeland speelt. Terug met een bal in zijn bagage enthousiasmeert hij zijn vrienden voor het spelletje, wat resulteert in de oprichting op 30 juni 1885 van de Enschedesche Football Club.

Op 31 augustus 1886 volgt in dezelfde stad de tweede club, Prinses Wilhelmina, genoemd naar de aanstaande koninklijke troon-opvolgster, die op die datum haar verjaardag viert. In de loop van 1888 fuseren de twee Enschedese clubs tot E.F.C. 'P.W.'

Het daagt verder in het oosten. Mulier meldt: 'Te Nijmegen verrijst op 30 Aug. 85 de C. en F.C. Quickstep, G. Wegerif pres., die zich weldra geheel aan het voetbal wijdde'. Dat duurt toch nog even, want de vroegst bekende verwijzing naar voetbalactiviteiten dateert van 1890 (en die lopen door tot 1910). In Wageningen wordt in december 1886 de Cricket- en Voetbalvereniging Go Ahead opgericht, als afsplitsing van de Wageningsche Cricket Club. Ook in dat jaar ontstaat het Nijmeegse Gelria, dat weer verdwijnt in 1889.[239]

Op 23 oktober 1887 wordt door spelers van Wageningen de Apeldoornsche Football Club opgericht, die in 1889 opgaat in de al bestaande cricketvereniging Robur et Velocitas.

In 1887 verschijnen er twee nieuwe clubs in Amsterdam. Op 6 september de Voetbal-Vereeniging Amsterdam, en Mulier prijst deze club speciaal, want: 'Door het plaatsen van een beschrijving van het spel in de N[ederlandsche] S[port] deed de V.V.A. het voetbal een goeden dienst.'[240] Op 14 november fuseren de cricketclubs Progress, Run en Amstels tot voetbalclub R.A.P.[241]

Het is goed het oprichtingsenthousiasme wat te temperen.[242] De regel is dat later bekende clubs beginnen met cricket en pas later tot veel later overgaan op voetbal. Een goed voorbeeld is dat Mulier in *Athletiek en Voetbal* twee tegenstrijdige oprichtingsjaren geeft van een voetbalclub Excelsior in Haarlem: 1883 en 1887. Maar het eerste jaartal is dat van de cricketclub, opgericht op 27 april 1883. Pas in de winter van 1888-1889 gaat Excelsior soccer spelen, maar de club, zowel de

cricket- als de voetbaltak, wordt in 1890 opgeheven.[243]
Er zijn veel meer dergelijke voorbeelden. De Utrechtse cricketclub
Hercules, opgericht in 1882, introduceert voetbal in 1889. Cricketclub
Frisia uit Leeuwarden van 1883 ondergaat een naamsverandering
naar Cricket en Football Club als er in 1894 gevoetbald gaat worden.
Evenzo vergaat het de Dordrechtsche Cricket Club: opgericht in 1883,
maar met eenzelfde naamsverandering in 1893 en pas het spelen van
wedstrijdvoetbal in 1899.[244]
Als er in 1888-1890 en 1889-1890 in het westen van het land voor het
eerst informele en incomplete voetbalcompetities worden gespeeld,
doen daar twee jaar achter elkaar dezelfde zeven clubs aan mee: H.F.C.
en Excelsior uit Haarlem, Concordia en Olympia uit Rotterdam,
R.A.P. en de V.V. Amsterdam uit de hoofdstad en H.V.V. uit Den
Haag. Concordia wint in 1889 en H.F.C. in 1890. Deze clubs, plus de
Delftsche F.C. en Go Ahead Wageningen, richten op 8 december 1889
in Den Haag de Nederlandsche Voetbal- en Athletische Bond op, met
Mulier als eerste voorzitter.

### Voetbalactiviteiten 1884-1886
In hoofdstuk V wezen we al op een paar *football*-referenties in
Amsterdam 1884-1885, maar in krantenberichten van 1884 wordt
ook gesproken over de beoefening van *football* op andere plekken in
Nederland.
De *Gooi- en Eemlander* bericht in maart 1884 in vrolijk-ironische
bewoordingen over een geschil tussen twee leden van de Utrechtse
sociëteit Sic Semper dat buiten de stad bij Huis ter Heide met een
'schietkamp' beslecht wordt. Over de locatie wordt gemeld: 'Kent gij
het Huis ter Heide? [...] De meisjes van de Zeister kostschool hadden
er, in vroeger dagen dikwijls een vroolijken Zaterdagmiddag en de
leerlingen der jongenskostschool speelden *football* in de groote laan
van *Zandbergen*. Ook komen Amsterdamsche families dikwerf de
vacantie aan het Huis ter Heide of in de villa's, gezegd optrekjes van
den omtrek, doorbrengen.'[245]
Het *Soerabaijasch Handelsblad* bespreekt in oktober 1884 in zijn
'Haagsche Kroniek' de veelbelovende resultaten van badplaats
Scheveningen, waar het jaarlijks steeds drukker wordt, en: 'Ik herinner
mij bv. zeer levendig met hoeveel spotternij de eerste cricketpartijen
hier werden aangestaard en hoe men de groote menschen, die zich met
zulke kinderspelen vermaakten, uitlachte. En nu? Cricquet, lawntennis, jeu de grace en football – al deze uitheemschen spelen zijn
hier reeds zoo algemeen in zwang, zelfs in de lagere klassen, dat men
van de vroegere onhollandsche spelen bijna niets meer ontdekt. Mij
dunkt, dat we reden hebben ons daarover te verheugen. De werpspelen
in 't open veld, het vélocipède-rijden, de gymnastiek en dergelijke

liefhebberijen zullen onze jeugd meer kracht geven dan het verouderd knikkeren en de hinkebaan, hoepelen en vliegers oplaten.'[246]

De eerste keer dat een voetbal-*club* de media bereikt, is in september 1885. Dan wordt in de kranten bericht over vliegerwedstrijden voor de jeugd, zowel in Schagen in de kop van Noord-Holland als op het landgoed De Kotten bij Enschede. Er wordt in *Het Nieuws van den Dag* een zinnetje aan toegevoegd over het evenement op 6 september in Enschede: 'Vervolgens werd met goeden uitslag een eerste openbare uitvoering gehouden van de Enschedeesche Football-club.'[247] Het is de club van Jan Bernard van Heek. Op het vliegerfestijn komen zo'n 5000 toeschouwers af en de verbaasde nablijvers kunnen kijken naar een voetbalexhibitie waarin twee teams van de club een onderling partijtje spelen.

Een jaar later wordt er bij een groot evenement in het Volkspark in Enschede door de club opnieuw een uitvoering gegeven. Het *Algemeen Handelsblad* informeert een landelijk publiek met het eerste Nederlandse voetbalverslag(je): 'Uit Enschedé wordt gemeld: Zondag jl. begon alhier, onder begunstiging van prachtig weder, 's middags om 3 uur, in het Volkspark de uitvoering der *Enschedesche Football-club*. Het was belangwekkend de kern onzer jongelingschap in het eigenaardige tricot-costuum, tien tegen tien, te zien wedijveren in vlugheid om den grooten bal in 's vijands kamp te schoppen.'[248]

In september beschouwt *Het Nieuws van den Dag* in een stukje over de (on)gezondheid van sportbeoefening het Engelse 'football' als 'een tamelijk gevaarlijk spel, dat geen aanbeveling verdient'. Het is opvallend dat een reactie, in de vorm van een ingezonden brief aan een landelijke krant, afkomstig is uit Enschede. Waarschijnlijk schrijft Van Heek, en hij legt, acht jaar nadat Helsdon Rix in het *Northeysch Nieuwsblad* een pleidooi voor *football* had gehouden ten faveure van soccer, het verschil uit tussen de twee *football*-varianten, nu voor het eerst ten behoeve van een landelijk publiek:[249]

'Van de "Enschedesche Footballclub" ontvangen wij een schrijven, ten betooge dat dit spel geen aanleiding tot ongelukken geeft. De berichten dienaangaande in Engelsche bladen betroffen, volgens de schrijvers, niet hun spel, het Association-spel, maar het Rugby. Hun spel omschijven zij als volgt:
In luchtige kleeding gestoken, scharen zich twee partijen elk aan een kant van het veld, waar een soort van poort is opgericht (twee palen 5 meter van elkaar met een dwarslat er over.) Uitsluitend met de voeten moet elk speler trachten den grooten, hollen, elastieken bal, die met leer is overtrokken, door des vijands poort of goal te schoppen, in welk geval het spel gewonnen is. Dat dit echter geene lichte taak is valt te begrijpen, als men weet, dat iedere partij 11 leden telt

en elk speler er op uit moet zijn den bal te beletten door de poort te komen, waarbij die speler behoort, en tevens moet trachten den bal door des vijands poort te schoppen. De bal mag volstrekt niet met de handen worden aangeraakt. Natuurlijk komt het voor, dat twee personen, tegelijk op den bal schoppend, elkander wel eens raken, doch van ongelukken is, zoolang onze vereeniging zich oefent, nog geen sprake geweest. Buitendien kan men zich voor dergelijke botsingen beschermen door zoogenaamde scheenbeschermers te gebruiken. Voorts is het verboden: elkaar te laten struikelen, met opzet te schoppen, tegen een ander aan te springen, zijne handen te gebruiken om iemand vast te houden of te duwen, en iemand van achteren aan te vallen. Bij Rugby mogen de spelers den bal in de handen nemen en om het bezit er van vechten.
Dit moge alles zoo zijn; de berichten in Engelsche couranten betroffen echter niet het gebruik van handen of het vechten, maar het doodschoppen van een medespeler.'

## Het vroegste wedstrijdvoetbal

Nederlands clubvoetbal is gedurende een jaar of vijf: oefenen, onderlinge partijtjes en af en toe kijken wat er elders gebeurt. De eerste berichten over *wedstrijd*-voetbal dateren van 1886 en de eerste komen – alweer – uit Enschede. Het sportfeest van september 1885 wordt bijgewoond door een, door Jan Bernard van Heek uitgenodigde, '*football*-liefhebber' uit Lancashire, die er eind van de maand uitvoerig verslag van doet in zijn lokale nieuwsblad *Football Field and Sports Telegram*. Hij geeft de opstellingen van de twee teams van de Enschedesche Football Club die een onderling partijtje spelen, verhaspelt wat namen, vermeldt de uitslag als 4-0 en de toeschouwers hebben zich uitstekend vermaakt. Hij verwacht grote populariteit van het spel in de nabije toekomst.[250]
Het *Algemeen Handelsblad* weet zelfs nog meer in februari 1886: 'Dezer dagen ontving de Enschedesche club een aanzoek om een wedstrijd te Enschedé te houden met de Bolton Rangers, winners van the Lancashire Cup, welke voor eigen rekening wilden overkomen, om die te Enschedé het championship te betwisten.' De Lancashire Senior Cup is een regionale *knockout*-competitie van de Lancashire County Football Association, die al sinds 1870 wordt verspeeld en in 1885-1886, waarschijnlijk in de eerste helft van het seizoen, wordt gewonnen door de befaamde Bolton Wanderers uit Bolton bij Manchester.[251]
Bijna was er een Twentse voetbalvariant geweest van de Uxbridge-cricketwedstrijd in 1881 in Den Haag, maar niemand hoeft er rouwig om te zijn dat dit idee is blijven steken in de fase van het enthousiaste plan. Mannen tegen jongens zou het geworden zijn, ongetwijfeld.
In 1886, vlak na de oprichting, stuurt de vereniging Prinses

H.V.V. tegen de English Wanderers (een Engels studententeam): 2-4. Den Haag, 31 maart 1897. Tekening: Pim Mulier. Bron: *Geïllustreerde Sport-Revue* (27 mei 1897).

Wilhelmina een uitnodiging naar de net iets oudere Enschedese broer: 'Wij leden der Footballclub "Prinses Wilhelmina" dagen U, leden der Enschedesche Footballclub uit, tot het houden van een match op het Volkspark, den 22sten Augustus 1886.' E.F.C.-bestuurder Ko van Deinse geeft door dat de wedstrijd beter een paar weken kan worden uitgesteld tot 'na dat een door ons te maken uitstapje achter de rug is'. Mogelijk doelt hij daarbij op demonstraties gespeeld door de Enschedeërs in Delden en Almelo.[252] Er is verder geen informatie te vinden over een wedstrijd tussen E.F.C. en P.W., wat het vermoeden wettigt dat het er niet meer van is gekomen.

Op 7 oktober 1886 staat er in het *Rotterdamsch Nieuwsblad* een aankondiging: 'De Cricket and Football club "Concordia" alhier heeft primo October op het terrein te Feijenoord het footbal-seizoen geopend. Spoedig zullen wij in de gelegenheid worden gesteld nadere bijzonderheden te melden', al snel gevolgd door een verslagje: 'Zondag hield de Rotterdamsche Cricket- en Voetbal club "Concordia" haar wekelijksche oefening op het terrein achter het Stieltjesmonument te Feijenoord, die door fraai weder opgeluisterd werd. In twee partijen verdeeld, iedere partij onder aanvoering van een captain, werd er met veel opgewektheid gespeeld. Al dreef de sterke Oostenwind den bal wel eens uit de richting, toch werden er fraaie trappen gedaan. Wij kunnen den Zondag-wandelaars wel aanraden eens een kijkje daar te komen nemen, daar het voetbal-spel ook voor de niet ingewijden zeer vermakelijk is om te zien.'[253] Het Rotterdamse Concordia is in mei 1884 opgericht en haalt op deze manier voor het eerst de krant.

Het tweede stukje eindigt met een aankondiging: 'Naar wij vernemen is de Rotterdamsche Cricket- en Voetbal-club voornemens binnenkort een of meer Nederlandsche clubs tot het houden van een wedstrijd uit te noodigen.' Dit is ook de eerste keer dat een club wordt benoemd met de Nederlandse term 'voetbal' in plaats van het Engelse 'football'. Een historisch moment. In dit geval komt er wel degelijk iets van de plannen, maar pas nadat er eerst activiteit elders in Nederland heeft plaats gevonden. Wedstrijdactiviteit.

In het *Haarlemsch Advertentieblad* van 13 oktober 1886 verschijnt dit bericht: 'Te beginnen Woensdag a.s. zullen de leden en adspirantleden der H.C.C. "Rood en Wit" met het spelen van foot-ball aanvangen, omdat dat spel meer geschikt voor de wintermaanden is dan cricket.'[254] Het lijkt erop dat de plannen van cricketclub Rood en Wit tot uitbreiding van het repertoire, al besproken in 1884, nu eindelijk gaan worden uitgevoerd. Een eerstehands getuigenis uit deze periode komt in het *Gedenkboek H.F.C. 1919* van Wilco Henri Reinier 'Co' van Manen (1876-1946), vaste kracht van H.F.C in 1893-1895, maar acht jaar eerder een jong aspirantje en het laatste half jaar van 1890 'volwaardig' lid van Rood en Wit, en, zegt Mulier, 'een warm voor-stander van "association"'. Van Manen: '[D]e generatie, van welke ik een der jongsten, een der nakomers was, heeft in de Koekamp haar voetbaldoop gehad. [...] Op Woensdag- en Zatermiddagen en ook den geheelen Zondag werd daar gespeeld. "Wij" waren toen nog "de adspiranten van Rood-en-Wit"; en H.F.C.-leden van thans, die niet zelf den tijd hebben beleefd, dat H.F.C. en Rood en Wit nog zoo innig verband met elkaar hielden, mogen wel indachtig zijn, dat zeer veelen van de groote speelers, die de oude voetbalclub in haar eerste tijdperk – een glorie- en heldentijdperk – heeft gehad, uit die adspiranten-afdeeling van de cricketclub zijn voortgekomen.'[255]

Hoe dan ook: het is niet Rood en Wit, maar het onder de goed ge-organiseerde vleugels van Rood en Wit tot bloei gekomen H.F.C. uit Haarlem dat met "Sport" uit Amsterdam *Nederlandsche Sport* van zaterdag 4 december haalt.

XIII

# H.F.C. MEETS "SPORT"

## Hoe Pim de elfde speler vergeet en Henk en Frans bij het bergbeklimmen geblesseerd raken

**Uit en thuis, november-december 1886**

De Cricket- en Footballclub "Sport" heeft na juni 1886 niet meer gecricket, de enige van de twee sporten uit de nieuwe dubbele naam die tot op dat moment in wedstrijdvorm is beoefend. Maar het nieuwe bestuur, waarin Henk Sillem heeft plaatsgenomen, een Noortheyenaar uit de periode dat *football* daar onder leiding van leraar Helsdon Rix werd ingevoerd, zal toch plannen voor het spelen van voetbal hebben gehad. De clubnaam zal toch niet voor niets zijn uitgebreid? Dat is hij inderdaad niet.

Op zaterdag 4 december 1886 bevat *Nederlandsche Sport* een verslag van een op zondag 21 november op De Koekamp in Haarlem gespeelde 'match':

'*Football.*
Zondag, 21 November, 's namiddags ten 2½ uur, had te Haarlem in de Koekamp een wedstrijd plaats tusschen eenige leden van de Amsterdamsche Football C. Sport en de Haarlemsche Football Club. Van de Amsterdamsche Club speelden de H.H. Spiller, G. Jowray, de twee Heeren May, Whichcord, Evant, Robbins, Easton, Quill, Nobbe en Wolterbeek. Voor de Haarlemmers, die twee hunner match-spelers misten, speelden de H.H. Peltenburg, Ipey, Hayman, v. Walcheren, Borel, Muller, Beets, Jessuron Muller, Schiff en Mulier. De Amsterdamsche spelers, die behalve den Heer Wolterbeek allen Engelschen waren, onderscheidden zich door zeer goed samenspel, het z.g. "following up". Ofschoon dit elftal slechts twee keer samen gespeeld had, werden alle manoeuvres vlug begrepen en vielen reeds spoedig twee der Haarlemsche goals, hoofdzakelijk door het uitmuntende spel des heeren Spiller, waarna de Heer Peltenburg een zeer verdienstelijke goal voor Haarlem speelde. Aan beide zijden werd toen de match met veel animo voortgezet, en ontstonden er tot drie keer toe hevige "scrimmages" bij de Haarlemsche goals, die echter manmoedig verdedigd werden; de Haarlemmers mochten

De Koekamp in Haarlem, met rechts het groepje in de weg staande populieren. Bron: Wieringa, H.C. (red.) *Haarlem in photographieën*. Delft: Elmar, 1968.

dan ook het genoegen smaken, na veel geschop en gewurm van weerszijden zegevierend uit hunne scrimmages tevoorschijn te komen. Een kleine quaestie ontstond bij de vierde goal, die de Amsterdammers op de Haarl. Club behaalden, nl. tengevolge van een "throw in", die volgens zeggen van de meesten vóór de goal langs ging, na op 3 à 4 der verdedigers teruggekaatst te zijn. Dit geschil werd echter door de captains, Mr. Spiller en Mulier, bijgelegd en opnieuw gegooid. Tegen vier uur maakte Haarlem zijn derde goal. De uitslag was dat Amsterdam won met 5 goals tegen Haarlem 3. Mulier.'

De eerste interstedelijke voetbalwedstrijd in Nederland ooit, tussen H.F.C. en "Sport", met een verslag ondertekend door Mulier, die zelf ook meespeelde. 'Twee dagen tevoren waren wij al in spanning, want er deden "niets dan groote Engelschen" mede', bekent hij in 1919.[256] H.F.C.'er Theo Peltenburg is de eerste Nederlander die in een voetbal-*match* scoort: 1-2 tegen "Sport", nadat waarschijnlijk Spiller "Sport" de leiding heeft gegeven. Twee terloopse mededelingen wijzen op een goede voorbereiding. "Sport" heeft in deze samenstelling 'twee keer samen gespeeld', terwijl de Haarlemmers 'twee hunner matchspelers misten'. Mulier schrijft in 1919 over 'de onderlinge wedstrijdjes van groepjes uit de H.F.C.', die zij later 'afwisselden voor "matches" buiten den Koekamp', en hij heeft zelf daar ook ooit eens 'voor propaganda' in Amsterdam meegedaan.[257]

De spelersnamen worden in het verslag genoemd: elf van "Sport",
maar opvallend genoeg bij H.F.C. slechts tien. Liefst negen van die
tien zijn gekende leden van Rood en Wit, met uitzondering van
Ton van Walchren, die traceerbaar pas lid wordt op 24 maart 1887.
Omdat er nog geen strikte regels voor 'elftallen' waren, kon het aantal
spelers per wedstrijd worden afgesproken, waarbij twee keer tien en
twee keer twaalf ook mogelijkheden waren. Maar tien tegen elf is
onwaarschijnlijk en zal zeker door de Engelsen van hun kant als *unfair*
zijn opgevat.[258] We kunnen echter zometeen wel reconstrueren wie
waarschijnlijk de elfde Haarlemmer was, op grond van de spelers van
de returnmatch.

Op 19 december is er die return, en daarvan wordt in *Nederlandsche
Sport* van 25 december anoniem verslag gedaan, hoewel we daarin
weer de hand van Mulier vermoeden:

'Football. Niettegenstaande het weêr vrij koud en de grond overal
met sneeuw en ijs bedekt was, had te Amsterdam, op Zondag 19
dezer, een Football-match plaats tusschen de Amsterdamsche
Football Club "Sport" en de "Haarlemsche "Football Club",
welke met 3 goals door "Sport" tegen geene der tegenpartij werd
gewonnen. Te half drie waren de spelers der beide clubs op het terrein der Amsterdamsche Cricket- en Footbal Club "Sport" in het
Vondelpark vereenigd, en nam de match een aanvang.
Door beide clubs werd met zeer veel animo gespeeld, en verdient het

spel der Amsterdammers zoowel als dat der Haarlemmers allen lof.
De kracht der Amsterdamsche spelers bestond voornamelijk daarin,
dat zij gezamenlijk optraden en elkaar steunden; daarbij liepen zij
altijd met den bal tusschen de voeten; de Haarlemmers daarentegen
beproefden meestal hun geluk alleen, en gaven dan herhaaldelijk
blijk hunner vaardigheid in het hardloopen en ver trappen. De volgende spelers namen aan den wedstrijd deel:
A. F. C. "Sport": Spiller, J. May, Ch. May, Waller, Easton, Sowray,
Wichcord, Sillem, Dakin, Gandow, v. Oostveen.
"H. F. C.": Peltenburg, Hayman, v. d. Werf, Beets, Pleyte, Borell,
Jessuron, Arriens, v. Walcheren, Muller, Ipey.
De eerste goal werd te 2 u. 45 min, door den Heer Easton gemaakt,
de tweede door den Heer Spiller te 3 u. 30 min., en de derde te 3 u.
40 min. door den Heer Sowray. Van de Haarlemmers onderscheidden
zich vooral de Heeren: Peltenburg, Hayman, v. d. Werf, Pleyte en
Beets.
De captain van Amsterdam, de Heer Bicker, en de captain van
Haarlem, de Heer Mulier, waren door ongesteldheid verhinderd aan
den wedstrijd deel te nemen, en traden toen als umpires der beide
clubs op; zij wisten zich op zeer verdienstelijke wijze van hunne
eerder moeielijke dan aangename taak te kwijten. Tot het einde werd
de match met veel belangstelling door een talrijk publiek gevolgd, en
kan deze eerste match der Amsterdamsche Football Club "Sport" als
volkomen geslaagd beschouwd worden.'

Beide partijen hebben elf spelers; bij H.F.C. ook dit keer weer allemaal
Rood en Wit'ers. Mulier meldt in *Athletiek en Voetbal*, en hij herhaalt
dat in het *Gedenkboek H.F.C. 1919*, dat Arriëns en Pleyte nieuwe
spelers zijn. Maar: ook Van der Werf is een nieuwe naam. Hij zal dus
de oorspronkelijke elfde van de eerste wedstrijd geweest zijn. Hij was
in het verslag daarvan waarschijnlijk bedoeld op de tweede plek van
H.F.C.'er 'Jessuron Muller', die simpelweg (David) Jessurun heet, zoals
in het tweede verslag. Bij "Sport" is het halve team anders, met als
meest opvallende nieuweling Henk Sillem. Het wedstrijdresultaat is
niettemin hetzelfde, voor de tweede keer een eclatante Amsterdamse
overwinning.[259]
Het is niet moeilijk om te constateren wat de twee voetbalploegen gro-
tendeels zijn: teams van gekende cricketers. Meerdere spelers hebben
elkaar op die manier in de loop van 1886 goed leren kennen, in maar
liefst drie achtereenvolgende cricketwedstrijden. Zoals eerder al vermeld, speelde op 6 juni 1886 in Haarlem Rood en Wit al tegen "Sport",
met Beets, Hayman en Pleyte aan de ene kant, en Avent, May, Spiller,
Sillem, Waller en Wolterbeek aan de andere kant. En op 12 september
en 3 oktober waren er in Den Haag de wedstrijden van een Nederland-

Rood en Wit, voor de ruïne van het Huis ter Kleef. Bron: Gedenkboek Rood en Wit 1931. Met vet staan de acht spelers aangegeven die meedoen in de twee voetbalwedstrijden tegen "Sport" in 1886. Staand, van links naar rechts 'F. P. du Rieu, **Hayman**, P. Posthuma, **A. Beets**, **C.M. Pleyte d'Ailly**, W.F. Druyvestein, de Beurs, F. v.d. Broeke, F.L. Heil, H. Westerveld, G. Schiff, K. Reynen, G. André de la Porte, **Peltenburg**.' Zittend, van links naar rechts: 'Leenderts, v. Lelyveld, **D. Jessurun**, G. Claassen, C.A. Abbing, **W. Schiff**, C.J. Posthuma, **Arriens**, **du Celliée Muller**, E. A. Hoeffelman, J. Kruseman, B. J. Couvée, F. Eyken.' Uit *Notulenboek 2* (bestuursvergadering 26 juli 1885) is op te maken dat de foto op 2 augustus 1885 is genomen.

se selectie tegen 'eenige hier wonende Engelschen', met Pleyte tegen Avent, Hayman, May, Quill, Spiller en Whichcord. Maar liefst acht van de in totaal dertien opdravende H.F.C.'ers staan op een foto van het cricketteam van Rood en Wit uit 1885: Peltenburg, Celliée Muller, Jessurun, Schiff, Hayman, Beets, Pleyte en Arriëns. Daarnaast staan de ontbrekende vijf allemaal op de ledenlijst van Rood en Wit: Frits Ypey, Henri Borel, Ton van Walchren (vanaf de lente van 1887), Rense van der Werff en Pim Mulier. De in oktober 1886 aangekondigde voetbal-training bij Rood en Wit komt uitermate handig uit, als voorbereiding op deze twee wedstrijden. Anders gezegd: eind 1886 opereert H.F.C. als de voetbalafdeling van Rood en Wit die al sinds september 1884 in de planning stond. Dit wordt alleen nog maar bevestigd door het blote feit dat de Haarlemse wedstrijd in De Koekamp wordt gespeeld: daar mochten in 1886 geen andere clubs terecht dan Rood en Wit volgens het contract met Van den Berg. En H.F.C. kan daar terecht, geen probleem.

Mulier noemt het team van "Sport" van de eerste wedstrijd op 21 november 1886 een combinatie afkomstig uit drie Amsterdamse cricket-clubs: 'De Amst. Footb. C. Sport bestond uit spelers van R.U.N., de A.C.C. "B.A.T" en de A. C. C. "Strong".' Deze bewering is maar moeilijk te plaatsen.[260] Er is wel degelijk een groep gekende cricketers van "Sport" die de ruggegraat vormt van het team dat aantreedt tegen H.F.C. Het rijtje genoemde clubs wordt nog eigenaardiger wanneer we weten dat al in april 1886 een groep kleine Amsterdamse cricketclubs, waaronder de door Mulier genoemde clubs B.A.T. en "Strong", fuseert tot het nieuwe Progress, 'een even aardige club als haar gestorven Haarlemsche naamgenoot',[261] die in september 1886 al twee wedstrijden speelt, en wint, tegen het Amsterdamse Sixteen en het Haarlemse Excelsior. Dat er bij dit Amsterdamse Progress voetballers rondlopen, blijkt wel uit het feit dat leden ervan op 14 november 1887 een voetbalclub oprichten, samen met cricketers van Gorters R.U.N. en Amstels. Zo ontstaat het roemruchte R.A.P., de grote succesclub van het georganiseerde Nederlandse voetbal in de jaren negentig. Teams aangevuld met gastspelers om aan het vereiste aantal te komen, dat hebben we al bij cricketwedstrijden gezien. "Sport" met gasten, dat lijkt de correcte interpretatie van het team dat in het veld staat tegen H.F.C.

Onder de te verwachten "Sport"'ers zijn er twee die pas in december opdraven: de ons al bekende Henrik 'Henk' Sillem (1866-1907) en François Gérard 'Frans' Waller (1867-1934). Dat heeft een goede reden.

### "Sport"'ers als bergbeklimmers[262]

Ex-Noortheyenaar Henk Sillem doet aan bergklimmen, en op 16-18 augustus 1886 probeert hij, dan net twintig jaar, samen met zijn nog een jaar jongere makker Frans Waller[263] de noordzijde van de beruchte Matterhorn te bedwingen, begeleid door twee gidsen. Drie andere kleine gezelschappen met elk hun eigen begeleiders proberen het tegelijkertijd ook: twee Engelse en een Italiaanse. Henk en Frans kennen elkaar al een tijdje van het Stedelijk Gymnasium in Amsterdam, het latere Barlaeus, en van "Sport", hun cricket- en voetbalclub. Twee maanden vóór de bijna noodlottige beklimming, in juni 1886, slaagt Henk voor zijn eindexamen. Frans zit twee klassen lager en behaalt zijn gymnasiumdiploma in 1888.[264]

Op weg naar de top worden ze door een sneeuwstorm overvallen. Een groepje is bijtijds terug in het Zwitserse bergdorpje Zermatt, een van de Engelse klimmers overlijdt en de overige twee expedities ontsnappen slechts aan de dood dankzij een inderhaast op touw gezette reddingsoperatie.[265] Henk komt met de schrik vrij, maar Frans houdt er enkele bevroren ledematen aan over die maar lastig herstellen. Veilig terug in Amsterdam schrijven de beide jongens nog een dankbare brief aan hun gidsen Taugwalder en Moser, 'sehr starke, tüchtige, ältere Führer', met daarin ook voor elk van hen een sub- stantiële materiële beloning van honderd Zwitserse franken voor de 'ausgezeichnete Hülfe und treuen Dienste, welche Sie uns geleistet ha- ben'. Ze erkennen dat zo'n bedrag natuurlijk in geen verhouding staat tot het redden van hun levens, maar 'wir bitten Euch, es als Kleines Zeichen unserer Dankbarkeit anzunehmen'.[266]

Voor Henk die bekend staat als gepassioneerd, maar tegelijkertijd roekeloos, zal het niet de laatste keer zijn dat hij in de bergen in de problemen raakt. In 1903 onderneemt hij een gevaarlijke bergtocht, waarbij hij na een val zijn 'reiscompagnon' verliest.[267] Die klimpartij heeft voor Sillem zelf geen ernstige gevolgen, maar op 13 juli 1907, tijdens een klimtocht in de Alpen in het Frans-Italiaanse grens- gebied, gaat het dramatisch mis. Als voorbereiding op de afdaling naar het paviljoen van de Mont Frety – over een pad dat langs steile, met ijs bedekte rotsen daalt – zijn de twee gidsen nog bezig met het vullen van de tassen, terwijl Henk Sillem, ongeduldig, alvast 'alleen vooruitsnelde'. Uren later vinden de gidsen de dan veertig jaar oude Sillem, die van de weg was afgeraakt, uitgegleden en in een ravijn was gevallen en verpletterd. Zijn lichaam wordt geborgen en overgebracht naar het bergdorp Courmayeur in de Aosta-vallei aan de Italiaanse kant van de Alpen, waar hij ligt begraven.[268]

Henk en Frans zijn in december 1886 blijkbaar voldoende hersteld van hun avontuur op de Matterhorn om als fervente voetballers de gelederen van "Sport" te versterken.

### Theo Peltenburg

Uit het verslag van de wedstrijd tussen H.F.C. en "Sport" op 21 november 1886 blijkt een aardig feit: H.F.C.'er Theo Peltenburg is de eerste Nederlander die in een 'interstedelijke' voetbalwedstrijd scoort: 0-2 wordt 1-2. Onder de biografietjes van prominente H.F.C.'ers in het *Gedenkboek H.F.C. 1919* is dat van Muliers drie jaar oudere clubge- noot Theodorus Hubertus 'Theo' Peltenburg (1861-1932), geschreven door Job Swens, bestuurslid van H.F.C. tussen 1900 en 1913 en van Rood en Wit tussen 1916 en 1938: 'In 1877 in Holland teruggekomen van Newton-College te Rockferry in Engeland, waar hij veel aan sport, waaronder ook voetbal, gedaan had, bleef hij hier trouw sport beoefenen: hardloopen, athletiek, roeien, cricket; gevoetbald werd er toen nog niet. Toen een paar jaar later het voetbal hier zijn intocht hield, sprak het dus vanzelf, dat hij één zijner eerste en vurigste aan- hangers werd.' Mulier beschouwt Theo als iemand 'waar gang in zat'. Hij is tamelijk klein, maar staat in Haarlem wel bekend als een 'stevig rugby-speler en goed looper'. Hij is een van degenen die een 'ijverig' aandeel in de oprichting van H.F.C. hebben. Theo voelt zich meer op zijn gemak als een stille, uitvoerende kracht op de achtergrond, vandaar dat hij geen bestuursfunctie wil bekleden: 'Was er raad noodig, steeds was hij bereid, maar een vaste functie, neen, dat was niets voor hem, beweerde hij. De eenige betrekking, die hij zich heeft laten welgevallen en die hij dan ook al sinds een reeks van jaren bekleedt, is lid van de Kascommissie.'[269]

Swens schrijft dat Peltenburg in 1877 uit Engeland terugkomt en vanaf dat moment allerlei Engelse sporten in Nederland beoefent, behalve voetbal, dat er dan nog niet is. Wie was deze Haarlemse jongeman met die interessant ogende achtergrond?

Het door Swens genoemde Newton College in Rockferry doet ergens aan denken. En inderdaad, Theo Peltenburg is een van de eerste Nederlandse studenten die, weliswaar niet in 1876 of 1877, maar in augustus 1878, in de Newton School van Willem Sijbrand Logeman in Rock Ferry bij Liverpool neerstrijkt. De naamsaanpassing van de school door Swens is niet helemaal onbegrijpelijk. In 1887 en 1888 toerde het Engelse cricketteam Newton Blues, afkomstig van Newton College uit Newton Abbot in South Devon, door Nederland, met oefenwedstrijden onder meer tegen Rood en Wit.[270] De naam 'Newton College' zat kennelijk goed in het geheugen van Rood en Wit'er Swens. Theo's vader Hubertus Thomas heeft een scheepswerf in Haarlem, en het is voorbestemd dat Theo in het familiebedrijf terechtkomt. Hij begint met de H.B.S. in 1875, maar er vallen woorden als 'wangedrag' en 'schorsing'. Vader en zoon vinden daarvoor een remedie die ingefluisterd lijkt te zijn door onderwijsman Logeman: een tijdje Engeland zou wel eens goed kunnen zijn voor de jonge, recalcitrante Theo en zo wordt hij in 1878 geplaatst op de Newton-School van zoon Logeman.[271] Het curriculum daarvan ziet er voor Theo nuttig uit: 'Opleiding tot den handel door het aanleeren van vreemde talen en handelscorrespondentie, zooals dit alleen in een vreemd land, door omgang met Engelsche, Fransche en spoedig welligt ook Duitsche medeleerlingen kan geschieden', aangevuld met handelsrekenen, boekhouden en gymnastiek. Bovendien, niet onbelangrijk voor een jongen uit een scheepsbouwfamilie: Rock Ferry ligt vlak bij de rivier de Mersey, tegenover Liverpool, waar in de negentiende eeuw een bloeiende scheepsbouwindustrie is ontstaan.

Op zo'n vier kilometer afstand van de school ligt de grotere plaats Birkenhead, met de in 1871 opgerichte rugbyclub Birkenhead Park Football Club. Er wordt al tientallen jaren cricket gespeeld, bijvoorbeeld sinds 1846 door de Birkenhead Park Cricket Club, en vanaf 1879 is er de voetbalclub Birkenhead FC. En ook in het nabije Liverpool wordt al jarenlang gecricket, gerugbyd en gevoetbald. Op 1 januari 1878 gaat in de wijk Everton St. Domingo FC wedstrijden spelen, dat een jaar later zijn naam verandert in Everton FC, de eerste

VADER EN ZOON VINDEN DAARVOOR EEN REMEDIE DIE INGEFLUISTERD LIJKT TE ZIJN DOOR ONDERWIJSMAN LOGEMAN: EEN TIJDJE ENGELAND ZOU WEL EENS GOED KUNNEN ZIJN VOOR DE JONGE, RECALCITRANTE THEO EN ZO WORDT HIJ IN 1878 GEPLAATST OP DE NEWTON-SCHOOL VAN ZOON LOGEMAN.

Vier leden van het 'Uitv. Comité voor de Vooroef. der Olymp. Spelen te Haarlem'. Van links naar rechts: Job Swens, Theo Peltenburg, mr. J. Lieftinck en F. Cremers, 'secr. v/h. Nationaal Olympisch Comité'. Foto: Moussault. Bron: *De Revue der Sporten* 2, nr. 2 (11 juni 1908).

association-voetbalclub van de stad die tot 1891 haar thuiswedstrijden op het befaamde Anfield Road speelt.[272] Allerlei Engelse sporten heeft Theo binnen handbereik en die zal hij vast en zeker enthousiast hebben bekeken en waarschijnlijk ook beoefend.

Theo's datum van terugkeer is niet zeker, maar de zomer van 1880 lijkt aannemelijk, aangezien hij zich in het voorjaar van 1881 meldt bij de zeemilitie. Geen wonder met zo'n achtergrond. Hij vervult zijn diensttijd van 12 mei 1881 tot 12 mei 1885.[273] Desondanks heeft hij vanaf 1884 tijd voor zeer gevarieerde sporten: op 14 september, als Rood en Wit in Hilversum een cricketwedstrijd speelt (en verliest), is er een omlijstend programma met hardlopen, waarin Theo een hindernisrace wint, en op 24 maart 1886 meldt de krant hem als eersteprijswinnaar bij wedstrijden 'Springen' van de Gymnastiek Vereeniging Haarlem.[274] Hij meldt zich op 1 september 1884 aan bij Rood en Wit, en krijgt nummer 50 op de ledenlijst, vlak na Mulier, die nummer 49 is.[275]

Theo komt ook voor op de foto van Rood en Wit voor de ruïne van het Huis ter Kleef van 1885, maar heel veel wedstrijdcricket lijkt hij niet te hebben gespeeld. Hij voetbalt met H.F.C. in beide wedstrijden tegen "Sport", nog eenmaal in 1887 en wellicht nog in 1888; daarna, voor zover na te gaan, niet meer. Toen hij in 1888 trouwde 'was het, zooals in die dagen natuurlijk was, uit met voetbal'.[276]

Als Theo op 3 juli 1888 trouwt met Anna Maria Gerardina Josephine van der Aa, werkt hij – net als zijn broer Frans – op de familiescheepswerf als timmerman, houthandelaar, scheepmaker en schuitenverhuurder. De Peltenburgs specialiseren zich in de bouw van dekschuiten, maar als die na verloop van tijd steeds vaker van ijzer moeten worden gefabriceerd, verlegt de familie zijn activiteiten naar de houthandel.[277] Het is dan ook Theo Peltenburg die in 1907 de technische supervisie heeft bij de bouw van de eerste houten tribune door de firma Beccari op het terrein van H.F.C., 'het duurzame bouwwerk', 'hecht, stevig en en doelmatig'.[278] Hij krijgt met Anna twaalf kinderen, van wie er een aantal vroeg overlijdt. Zijn dochter Mia Peltenburg is in de jaren twintig en dertig een internationaal befaamd sopraan.[279] Theo overlijdt op 24 april 1932 in Haarlem.

XIV

# EEN GASMAN BIJ BEIDE PARTIJEN

## Hoe info over Engelsen onvindbaar is en H.F.C. beroepsmilitairen en Indië-gangers opstelt

**De spelers van H.F.C.**
H.F.C. stelt in de twee wedstrijden van eind 1886 twaalf Nederlandse jongemannen op, en een Engelsman: Arthur Hayman. Informatie over Pim Mulier die alleen als 'captain' meespeelt in de eerste wedstrijd en 'umpire' is in de tweede, beschouwen we als bekend of op zijn minst zeer toegankelijk, op Wikipedia ('Pim Mulier'), en in de hier uitvoerig geciteerde biografie van Daniël Rewijk. Theo Peltenburg werd boven al uitvoerig beschreven.

Abraham 'Bram' Beets (1865 Bloemendaal – 1916 Baarn) speelt al vanaf 1881 intensief cricket bij Rood en Wit, als een van de vaste bowlers, en hij is een zeer actief bestuurslid. Na 1886 wordt hij niet meer genoemd als actief sporter. Hij is een neef van de theoloog-schrijver Nicolaas Beets (1814-1903) en werkt als notaris in Baarn.

Jean Henri Borel (1868 Maastricht – 1945 Den Haag) is Rood en Wit'er tussen 11 april 1886 en 27 mei 1887. Hij wordt alleen als H.F.C.'er genoemd bij de twee wedstrijden tegen "Sport". Hij volgt de H.B.S. en de Militaire School in Haarlem en schopt het na 1890 in zijn militaire carrière tot luitenant-generaal en inspecteur van de infanterie en de Vrijwillige Landstorm.

David Jessurun (1867 Paramaribo – 1928 Orange, California) is tussen 27 september 1882 en 27 januari 1889 speler van Rood en Wit en in 1886 van H.F.C. Hij volgt een opleiding tot chemicus in Amsterdam en Braunsweich, en emigreert in 1892 naar de Verenigde Staten, waar hij een succesvolle carrière opbouwt op verschillende plaatsen (New Orleans, Michigan, Californië, en in Canada) in de suikerbietenindustrie, waarin veel Nederlandse immigranten werkzaam zijn.[280]

Voetballer Muller is minder gemakkelijk te identificeren, maar de twee waarschijnlijkste kandidaten zijn de broers Du Celliée Muller, met als vader Lucas Johannes, hoofdingenieur bij Rijkswaterstaat. Willem Ernst du Celliée Muller (1871 Amsterdam – 1937 Medan, Sumatra) zou dan, 14 jaar oud en schoolgaand in Haarlem, op de foto moeten staan van Rood en Wit in 1885, en is voetballer in 1886. Hij vertrekt rond 1900, in dezelfde tijd als Mulier, naar Medan op Sumatra, waar hij gaat werken voor de Deli Maatschappij in de tabakscutuur. Zijn oudere broer, George Jacobus (Amsterdam 1868 – Ubbergen 1939), is niet alleen in 1882 als gymnasiast in Utrecht een van de oprichters van Hercules, maar staat ook tussen 3 maart 1885 en 1 januari 1887 op de ledenlijst van Rood en Wit, als 'G. du Celliée Muller'. Deze wijnhandelaar is tussen 1923 en 1927 lid van de gemeenteraad van Maastricht namens de kleine partij 'Econonomische bond'. Verder schopt hij het nog tot secretaris van College van regenten over de Gevangenissen.

Anton Hendrik 'Ton' van Walchren (1870 Amersfoort – 1940 Wassenaar) is pas Rood en Wit'er vanaf 24 maart 1887 en hij blijft tot 11 september 1890 en is dus in 1886 nieuw als voetballer. Hij wordt 'commissionair in effecten' bij de firma Numan & Hansen.

Frederik 'Frits' Ypey (1870 – 1923 Zutphen) is de zoon van een Friese huzaar-militair, die wisselend door heel Nederland gestationeerd wordt. Frits wordt geboren in Zutphen, maar groeit op in Haarlem. Hij speelt in 1886-1888 voor zowel Rood en Wit als H.F.C., en wordt later 'privisor' (beheerder) van bejaardenhof Bornhof in Zutphen. Zijn broer Hendrik Bonifacius 'Henry' (geboren in Deventer 1864), die Mulier noemt als vroege H.F.C.'er, overlijdt in juni 1888 per boot onderweg naar Nederland vanuit Indië.

De Schiffs zijn een zeer interessant gezelschap. Er zijn er maar liefst vijf, *deep down* allemaal familie, met intrigerende Indië-connecties. Willem 'Wim' Schiff (1865 Indië – 1894) komt jong naar Haarlem voor opleiding, maar keert in 1891 terug naar Indië, waar hij in Poerwokerto op Midden-Java overlijdt. Hij is Rood en Wit'er tussen 1881 en 1890. Zijn broer Gerard Schiff (1867 Indië – 1897) overlijdt in Davos, Zwitserland, waar hij waarschijnlijk om gezondheidsredenen verblijft. Hij is Rood en Wit'er van het eerste uur, op en af lid tussen 1881 en 1886. Neef Antonius Louis 'Anton' Schiff (circa 1865-1906 Indië) is Rood en Wit'er van 8 september 1884 tot 1 januari 1885. Dan gaat hij naar Indië en werkt daar in de rijstcultuur, vermoedelijk samen met Willem. Jan Willem Schiff (1867 Nijmegen? – 1894) komt voort uit de Oost-Nederlandse tak van de familie. Hij volgt de Militaire School in Haarlem, waar hij een jaargenoot is van Borel, en de Militaire Akademie in Breda. Rood en Wit'er is hij in 1881. Hij komt op 18 november 1892 om in Indië, drie weken voor Willem, tijdens de historische bestorming van Tjakra Negara op Lombok.[281] Mulier noemt Anton en Wim als vroege H.F.C.'ers. De Schiff die meedoet in de voetbalwedstrijden in 1886 wordt door Mulier tot en met *Voetbal en Athletiek* 'Schiff' genoemd. In het *Gedenkboek H.F.C. 1919* maakt hij er 'Anton Schiff' van, maar die was toen al naar Indië.

Het is vrijwel zeker Wim, die nog tot 1890 cricket speelt bij Rood en Wit. Van eind juni tot eind augustus 1886 is er overigens ook nog een vijfde Schiff kortstondig lid van Rood en Wit, in de ledenlijst vermeld als 'R.S.D. Schiff'. Vermoedelijk gaat het hier om Severijn Daniël Schiff.

Rense van der Werff (1869 Dokkum – Maastricht 1924) is in 1885-1886 een klasgenoot van David Jessurun op de Haarlemse H.B.S. Hij is lid van Rood en Wit tussen 8 april en 8 oktober 1886, precies in de aanloop naar de voetbalwedstrijden. Als zijn voogd treedt tijdens zijn H.B.S.-periode jonkheer Johan Jacob Sandberg (1838-1905) op, een illustere figuur in de Haarlemse sportwereld van die tijd, onder meer als secretaris bij de IJsclub Haarlem en Omstreken. Mulier beschrijft in *Wintersport* levendig hoe hij in gezelschap van Sandberg en Jaap Edens trainer Klaas Pander langs de baan staat als Jaap in januari 1893 op het Museumterrein in Amsterdam wereldkampioen allround schaatsen wordt. Sandberg is een oud-KNIL-militair, die bij gevechten op Atjeh gewond raakt en dan in 1882 met zijn gezin naar Haarlem terugkeert. Hij is in 1885 een paar maanden lid van Rood en Wit en tot 1895 donateur. Geen wonder dat Rense gaat sporten.

Hendrik Engelbert 'Henri' Arriëns (1868 Poerworedjo – 1919 Blitar) speelt als net afgestudeerd Haarlems gymnasiast vanaf 1882 intensief bij Rood en Wit, en vanaf 1886 bij H.F.C. Hij speelt mee in de tweede wedstrijd tegen "Sport" en vertegenwoordigt nog op 9 februari 1890 samen met Mulier H.F.C. in het provinciale elftal van Noord-Holland, dat op het Malieveld in Den Haag met 1-0 verliest van Zuid-Holland. Vanaf 1901 is hij administrateur van een koffieonderneming op Java, waar hij, in de buurt wonend en werkend, twee legendarische uitbarstingen van de vulkaan Kelud van dichtbij meemaakt. Die van 1900 overleeft hij ternauwernood, die van 1919 wordt hem, zijn vrouw en kind, en zo'n 5000 anderen, fataal.[282]

Cornelis Marinus 'Kees' Pleyte d'Ailly (1864 Heumen – 1958 Hilversum), een predikantenzoon, speelt ook alleen mee in de tweede wedstrijd. Hij voetbalt bij H.F.C. van 1886 tot 1888, maar is vooral een cricketer bij Rood en Wit, al vanaf 1881 tot een flink eind in de twintigste eeuw, wanneer hij zijn actieve carrière beëindigt bij de Hilversumsche Cricketclub. Hij bekleedt bestuursfuncties, zowel bij Rood en Wit als bij de Nederlandsche Cricket Bond. Hij volgt in Haarlem een opleiding tot apotheker en is later directeur van de Koninklijke Pharmaceutische Handelsvereniging.

## Arthur Hayman

De Engelsman Arthur Frederick Pierpoint Hayman wordt voor de eerste keer in Nederlandse sportkringen genoemd als 'matchcaptain' van Rood en Wit in het provincieteam van Noord-Holland

De Engelsman Arthur Hayman, rond 1900. Afbeelding uit het unieke jubileumboek uit 1911, ter gelegenheid van '50 years' service' bij de Imperial Continental
Gas Association van Henry Salomons, 'from 1879 onwards entrusted with the
management consecutively of the Haarlem, Rotterdam, Amsterdam and Brussel
Stations'. Bron: I.C.G.A.-archief van de Metropolitan Archives in London.

dat in augustus 1885 in Den Haag verliest van Zuid-Holland. Nadat
hij met de club heeft kennisgemaakt op 7 februari 1885 tijdens een
verenigingsbal, wordt hij op 21 februari lid van Rood en Wit,[283] en
blijft hij dat tot 24 oktober 1888, waarna hij nog een jaar donateur
wordt. Hij is een van de steunpilaren van de club, maar voetbalt alleen
voor H.F.C. in de twee wedstrijden tegen "Sport". Net als de eerder
genoemde Progress-Engelsman W.J. Wilson is Arthur Hayman in
dienst bij de Haarlemse vestiging van de Imperial Continental Gas
Association. Mulier noemt Hayman tussen neus en lippen door in het
*Gedenkboek H.F.C. 1919*: 'Immers reeds in 1880 vernam ik o.a. van
Hayman, hoe het voetbal in Engeland geregeld was.'[284]
Dat jaartal lijkt ons stug. Het zou betekenen dat een *sportminded*
Engelsman vijf jaar lang in een sportieve omgeving bivakkeert zonder
een spoor achter te laten. Mulierse slordigheid, denken we.
In 1887 woont Hayman, als 'assistent-ingenieur der gasfabriek', op

AANGEDUID ALS
'AMSTERDAMSCHE
SPELERS, DIE
BEHALVE DEN
HEER WOLTERBEEK
ALLEN
ENGELSCHEN
WAREN'

'Anegang 37' in de binnenstad.[285] Hij is geboren op 14 september 1860
in Eastbourne aan de Engelse zuidkust.[286] Zijn echtgenote Louise Creed
is geboren in Lille in 1863 en het stel krijgt na hun huwelijk in Brussel
op 20 september 1888 een jaar later een dochter. Arthur is in Brussel
directeur van de I.C.G.A.-vestiging ('Compagnie Continental de Gaz')
in Koekelberg. Van 1898 tot 1910 heeft hij diezelfde functie in Berlijn.
Terug in Antwerpen verblijft hij tijdens de Eerste Wereldoorlog in
Engeland, keert daarna weer terug in functie, wordt in 1928 benoemd
tot ridder in de Orde van Leopold en is in 1931 lid van de Belgische
delegatie op het 'International Illumination Congress' in Schotland.
Niet lang daarna gaat hij met pensioen, na een 'goed en deftig bestaan',
aldus een rapport van de vreemdelingendienst. Gegevens over een actief
sportleven na 1888 zijn onbekend, net als zijn overlijdensdatum.

### De spelers van "Sport"
De vereniging "Sport" wordt slechts in het eerste verslag in
*Nederlandsche Sport* aangeduid als 'Amsterdamsche spelers, die behalve
den Heer Wolterbeek allen Engelschen waren', een omschrijving die
door Mulier wordt herhaald in *Athletiek en Voetbal* en het *Gedenkboek
H.F.C. 1919*. Pas in 1947 volgt zowel bij Wedema als Groothoff iets meer
informatie:

> Wedema, *Voetbaltactiek*, 1947, 44-46.
> Mulier had al met rugby-voetbal kennisgemaakt 'toen hij in 1879
> in Amsterdam door de Leidschestraat kuierde, en daar in de
> winkel van De Gruyter een lichtgele rugby-bal zag hangen. [...]
> 'In de hoofdstad bestond in 1880 trouwens reeds de voetbalclub
> "Sport", een vereeniging van voornamelijk Engelsche employé's van
> Amsterdamsche handelshuizen, speciaal van de Imperial Gas Co.'

> Groothoff, *Van de groene velden*, 1947, 29.
> 'In vroeger jaren heb ik menigmaal als vaststaand gehoord, dat
> Amsterdam de primeur van associationvoetbal heeft gehad. Het
> spel werd, naar men mij verzekerde, gespeeld door Engelsche jonge-
> lui, werkzaam aan de Imperial Gas Co [...] Het daarvoor noodige
> materiaal, zoo vertelde men mij verder, werd geleverd door de
> firma De Gruyter, reeds in 1878 in de Leidschestraat te Amsterdam
> gevestigd.'

Groothoff doet niet anders dan Wedema slordig overschrijven, wiens
basistekst immers van 1943 dateert, en Miermans doet in zijn proef-
schrift in 1955 hetzelfde.[287] Wedema heeft zijn informatie van Mulier,
meer dan vijftig jaar na dato. Onze eigen naspeuringen, die vooral de
'handelshuizen' en de I.C.G.A. betroffen, hebben in elk geval voor een

aantal van de in totaal zeventien "Sport"'ers van de twee wedstrijden iets opgeleverd.

Over de spelers met de Engelse namen Dakin, Easton, Nobbe, Robbins en Sowray (of Jowray) is niets naders te vinden, op één na. Als Easton geen Engelsman is, maar een Nederlander, *and it's a big if,* want het zou betekenen dat Mulier zich vergist in een zaak die hem gewoonlijk na aan het hart gaat, zou het kunnen gaan om Cornelis Easton (1864-1929), de latere journalist, sterrenkundige en hoofd-redacteur van *Dordrechtsche Courant, Het Nieuws van den Dag* en *Haagsch Maandblad.* Als Easton in 1886 zijn studie in Parijs afbreekt, omdat hij na een onbekende 'ramp' in zijn eigen levensonderhoud moet voorzien,[288] vervult hij dat jaar als 22-jarige tijdelijke onderwijs-baantjes, onder meer op Schreuders in Noordwijk, waar hij een vacature voor geschiedenis en aardrijkskunde invult, ter vervanging van docent Boeser die absent is wegens 'eene ernstige ongesteldheid'. Op Schreuders maakt Easton met cricket kennis, en vermoedelijk ook met voetbal.[289] Het zou best kunnen dat hij met die achtergrond voor een voetbaloptreden is aangezocht door "Sport"-captain Bicker, zelf oud-Schreuderiaan.

Avent, May, Quill en Whichcord cricketen voorafgaand aan de voetbalwedstrijden bij "Sport" en in het 'Engelse' team dat speelt tegen een Nederlandse selectie in september-oktober 1886; welke van de twee broers May wanneer meespeelt, is onduidelijk. Of dit stel Engelsen werkzaam was bij 'handelshuizen' of de I.C.G.A. is niet te achterhalen.[290] Onder de resterende zeven "Sport"'ers zijn vijf Nederlanders en twee Engelsen. De persoonlijke gegevens van Henk Sillem, Frans Waller en Daan Wolterbeek zijn verwerkt in de voor-gaande hoofdstukken.

'Non-playing captain' jonkheer Pierre Herbert Bicker (1866 Surabaya – 1945 Zeist) zit op Schreuders tussen 1881 en 1885, speelt in 1885 voor de Noordwijksche Cricket Club en cricket in juni 1886 voor "Sport" tegen Rood en Wit. Hij trouwt in 1927 met Sophie 'Fiti' van Lennep (1892-1966), dochter van David van Lennep, mede-initiator van Rood en Zwart en H.F.C., en later burgemeester van Heemstede. Bicker is na zijn "Sport"-periode directeur van firma's met Indië-connecties, zoals de Noord-Celebes Mijnbouw Mij. en de Deli-Batavia Mij. Hij overlijdt op 15 juni 1945 als hij bij Zeist op zijn fiets wordt aangereden door een jeep met Canadese bevrijders.[291]

Anthony Johannes van Oostveen (Amsterdam 1865 – 1939 London) heeft van jongs af aan een internationale oriëntatie. Zijn vader Anthonie zit in de wijnhandel en is consul voor Roemenië in Amsterdam. In 1887 start Anthony ('Jr.') als commissaris bij de Amsterdamsche Skating Club en vanaf 1889 is hij penningmeester, met als president Meindert Johannes Waller, de vader van Frans.

Rood en Wit in 1892. Van links naar rechts, staand: Piet Tromp de Haas, jonkheer Willem Schorer, L.H. Koolhoven; zittend: H. 'Toeti' Gerth van Wijk, J. Oldenboom, Charles Gandon jr., Harry Westerveld, Carstjan Posthuma en Hubert Menten; op de grond zittend: Emilius Hoeffelman en W.H.R. van Manen. Bron: *Gedenkboek Rood en Wit* 1931.

Hij vervangt Daan Wolterbeek in het team van "Sport". Via de Wolterbeeks trouwt hij met een Engelse, met wie hij eerst in New York en daarna in Londen gaat wonen. Vanaf dat punt zijn er vooralsnog geen verdere gegevens.

Thomas Lambart Bladen Spiller (1867 Kensington, Londen – 1938 Worthing, Sussex) is de zoon van Charles Thomas Benjamin Spiller, een Londense sigarenhandelaar, en Mercy Louisa Elisabeth Wallace. Als cricketer duikt hij op in 1885-1886 bij "Sport" en het 'Engelse' team. Hij is spelend captain van het "Sport"-elftal in de eerste wedstrijd tegen H.F.C. en vervolgt zijn voetbalcarrière bij de in 1887 opgerichte Voetbal Vereniging Amsterdam, tot en met 1888. De kantoorbediende/klerk[292] Spiller wordt in wedstrijdverslagen steeds beschreven als een uitblinker. In 1896 staat hij nog kort vermeld als lid van de Amsterdamsche Football en cricket Club U.N.I. Hij trouwt in 1901 met de Amsterdamse Henriëtte Georgine Poolman, en blijft vermoedelijk enige of langere tijd in Nederland. Over de details van zijn levensloop is niets bekend. Hij overlijdt in Engeland.

De enige Engelse "Sport"-voetballer die in verband kan worden gebracht met de I.C.G.A. is Charles Gandon, die alleen speelt in de tweede wedstrijd tegen H.F.C., al wordt hij daar 'Gandow' genoemd, vermoedelijk omdat de laatste letter van zijn handtekening – spelers

tekenen in die tijd een wedstrijdpresentielijst – op een zwierige 'w'
lijkt. Als er bij iemand sprake is van een internationale 'gas'-oriëntatie,
dan is het bij hem.[293] Zijn vader met dezelfde naam begint zijn carrière
in 1861 als ingenieur aan de Great Northern Railway. In 1863 wordt
hij een internationale gasman, met aanstellingen in Smyrna bij de
Ottoman Gas Company, Bombay en Brazilië. Na zijn terugkeer naar
Engeland is hij van 1876 tot 1897 ingenieur bij de Crystal Palace Gas
Company in Londen en president van de Society of Engineers en het
Gas Institute. In ieder geval vier van zijn zoons, John, Charles jr.,
Herbert en Harry, treden in hun vaders voetsporen en maken carrière
in de internationale gasbusiness.[294]

Charles Jr. wordt op 19 november 1864 geboren in Smyrna. Hij staat
van november 1884 tot april 1889 ingeschreven in Amsterdam en
woont in 1888-1889 aan de Haarlemmerweg, zo ongeveer naast de
daar nieuw gebouwde I.C.G.A.-fabriek. Tussen 1891 en 1893 werkt
hij in Haarlem, als werktuigkundige bij respectievelijke gasfabrieken.
Tijdens zijn Amsterdam-tijd is hij lid van "Sport" en in Haarlem speelt
hij bij Rood en Wit, tussen april 1891 en januari 1893. Hij figureert op
een foto van het cricketteam uit 1892 en wordt een van 'de ouderen'
genoemd.[295] Charles trouwt in Londen in 1897 en werkt in 1913 als
ingenieur bij de I.C.G.A. in Antwerpen, onder directeur Arthur
Hayman. Zijn wederwaardigheden daarna zijn onbekend.

Charles' broer John Gandon is als jongeling ook al sportief. Namens
de Pelham Bicyle Club doet hij in juli 1880 mee aan de Open Two Mile
Bicycle Race van de Beckenham Cricket Club. En broer Harold Walter
'Harry' Gandon werkt van 1894 tot 1900 bij de I.C.G.A. in Wenen, en
benut die tijd sportief met tennis op niveau en voetbal bij de Vienna
Cricket and Football Club, tot en met een bestuurslidmaatschap van
de Österreischischen Fußball-Union. Tussen 1900 en 1902 is hij in
Antwerpen, waar hij tennis, cricket en voetbal speelt, als lid van de in
1900 opgerichte Beerschot Athletic Club. Hij speelt mee met de eerste
wedstrijd van de club, op 21 oktober 1900, een 10-2 daverende winst
op de Cercle Sportif Brugeois, het latere Cercle Brugge.

"Association" voetbal. Een harde schuiver. Tekening door Pim Mulier, in: *AenV.*

## XV
# PRACHTIG WINTERWEDER BEGUNSTIGT DE MATCH

## Hoe het wedstrijdvoetbal Nederland langzaam maar zeker in zijn greep krijgt

### Concordia eerste club in Rotterdam

Mulier plaatst in *Athletiek en Voetbal* de tweede wedstrijd van H.F.C. tegen "Sport" niet op 19, maar op 25 december 1886, een fout die hij in het *Gedenkboek H.F.C. 1919* herhaalt. Kennelijk heeft hij (dan al) geen toegang meer tot de artikelen in *Nederlandsche Sport*, want hij voegt eraan toe: 'De uitslag is mij ontgaan.'[296] Tegelijkertijd is 25 december de datum van het wedstrijdverslag in dat blad, hij heeft dat blijkbaar verkeerd onthouden of genoteerd. Het is een significante fout. Het mag op 19 december flink winters geweest zijn, het is een prachtige dag in het vroege Nederlandse clubvoetbal: op dezelfde zondag speelt in Rotterdam Concordia zijn eerste stadswedstrijd. Het *Rotterdamsch Nieuwsblad* had in oktober het voornemen van de club al aangekondigd en doet nu verslag:[297]

'Zondag j.l. hield de Rotterdamsche cricket- en footballclub "Concordia" een footballmatch op haar terrein te Feijenoord tegen een elftal samengesteld uit spelers van de cricket- en footballclubs "Achilles", "Olympia" en het tweede elftal van "Concordia", alle Rotterdamsche Vereenigingen.
Prachtig winterweder begunstigde de match; de grond was echter door de bevroren sneeuw zeer glad, wat het spelen zeer bemoeielijkte, en de oorzaak was, dat er aan weerszijden niet zoo goed gespeeld werd als wij het op de gewone oefeningen van genoemde clubs wel zagen. Het resultaat van den wedstrijd was dat "Concordia" won met 2 goals tegen nul aan den anderen kant. Naar wij vernemen bestond het gecombineerde elftal ditmaal niet uit de

sterkste leden, maar zal Zondag a.s. de returnmatch met "Concordia" herhaald worden en zal het elftal dan versterkt worden met eenige goede krachten uit de footballclub "Victoria". Deze match belooft zeer interessant te zijn, en er zullen wel weer evenals bij gene het geval was een aantal toeschouwers bij tegenwoordig zijn.'

Van de hier genoemde al vroeg *football*-ende Rotterdamse clubs of clubjes wordt op '23 Mei [1885] de Rott. C. en F. club Olympia opgericht'.[298] Men was al druk bezig in Rotterdam, in 1885-1886. Een tweede wedstrijd wordt een week later aangekondigd, maar: 'Wegens het ongunstige weder is gisteren de wedstrijd der Foot-ball-and Cricketclub "Concordia", te Feijenoord, uitgesteld tot nader order.'[299] En daarna waarschijnlijk niet meer gespeeld.

De sterke verwevenheid van Rood en Wit en H.F.C. blijkt opnieuw als *Nederlandsche Sport* op 27 november 1886 meldt dat 'Rood en Wit' een uitdaging heeft gekregen van de Haagsche Cricket- en Footballclub 'Olympia' voor een wedstrijd op 5 december.[300] Deze gaat gaat niet door, maar concretiseert zich vervolgens wel als wedstrijden tussen H.F.C. en Olympia, een jaar later. Ze worden gespeeld op 13 november 1887 in Den Haag en 11 december in Haarlem. Mulier beschrijft ze kort: '[W]e gingen ter residentie en wonnen op de Maliebaan met 1-0' (in een wedstrijd 'met wederzijdsch goedvinden 12 tegen 12') en 'We wonnen met 5-0 en ik hoor nog, hoe op 't moment, dat 't uit was, het publiek spontaan *juichte* voor de blauwwitte kleuren.'[301]

In Rotterdam is Concordia weer actief, met de opening van het seizoen begin oktober en wedstrijden tegen de V.V. Amsterdam op 27 november thuis en 25 december op het Museumterrein in Amsterdam. Het verslag van de eerste wedstrijd in het *Rotterdamsch Nieuwsblad* is kort maar levendig, en noemt voor het eerst de namen van een Rotterdams team:

'Gisteren had op het cricketveld der Rotterdamsche cricket- en voetbalclub "Concordia" de aangekondigde voetbalmatch plaats met de Amsterdamsche Voetbal-Vereeniging, onder een hevigen wind en voortdurenden regen. Desniettegenstaande waren er een 5 a 6honderdtal toeschouwers tegenwoordig, die de spelers luid toejuichten en aanmoedigden.

Een zeer geanimeerd spel eindigde in een drawn-game (gelijk spel) van ieder een punt (goal). Bij het gezellig samenzijn, dat na de match volgde, stelde de heer Noppen, kapitein der Amsterdamsche Voetbal Vereeniging voor, dat, nu men zoo prettig bijeen geweest was, men ook een kleinigheid zou bijdragen voor de nagelaten betrekkingen der verongelukte schepelingen der "W. A. Scholten". Hierop ging hij met zijn hoed rond, en had het genoegen f 11 op te halen, welke bedrag door tusschenkomst der directie van de Nederlandsch

Amerikaansche-stoomvaartmaatschappij zal overgemaakt worden. Het elftal, dat Rotterdam tegenwoordigde, bestond uit: C. A. Schuld, M. Weinthal, H. Wilton, v. d. Linden, Schuit, Rothzandt, Bijstra, Meijer, L. Weinthal, Van Goor, en A. Schuld.'

De ramp met de 'W.A. Scholten' van de maatschappij die later de Holland-Amerika Lijn wordt, vindt plaats op 19 november, als dit vrachtschip met passagiers voor de kust van Dover, net van huis vertrokken op weg naar New York, in dichte mist midscheeps wordt aangevaren door het Engelse stoomschip 'Rosa Mary' en binnen twintig minuten zinkt. Van de 210 passagiers en bemanningsleden worden er slechts 78 gered.[302]

De beschreven 1-1, het eerste gelijkspel in de geschiedenis van het Nederlandse clubvoetbal, wordt gevolgd door een 1-0 overwinning, de eerste ooit van hoofd-stedelingen op Maas-stedelingen, in de return op Tweede Kerstdag. De *Nieuwe Rotterdamsche Courant* neemt de gelegenheid tot het uitleggen van de basiselementen van het spel: 'Op een door palen afgebakend terrein zijn aan de twee tegenovergestelde, verst van elkaar verwijderde zijden poortjes opgericht, nl. twee palen, welke een lijn dragen. De kunst is nu [vooral:] Men mag den bal niet met de handen aanraken, maar moet hem gooien of terug werpen met de voeten of, des noods, met het hoofd.'[303]

In de winter van 1888 wordt er ook, ondanks het vaak slechte weer met besneeuwde en bevroren velden, toch flink gebald. H.F.C. kan een tweede team van 'aspirantjes' op de been brengen, dat op 22 januari aan de Kleverlaan speelt en met 0-1 verliest tegen plaatsgenoot Excelsior.[304] Het eerste speelt thuis- en uitwedstrijden tegen de twee Amsterdamse clubs van dat moment: R.A.P. en de V.V. Amsterdam. Op 12 februari in Haarlem is H.F.C. op dreef tegen R.A.P.: winst met 4-0. De return op 25 maart eindigt in een 0-0 *drawn game*.

H.F.C. heeft al op 26 februari tegen de V.V. Amsterdam willen spelen, maar harde vorst verhindert dat. Op 11 maart en 1 april komt het er wel van, met twee maal 0-0 als uitslag. Het *Algemeen Handelsblad* kondigt de wedstrijd van 1 april aan als een van H.F.C.: 'Zondag a.s. 1 April zal weder door de Voetbalvereeniging "Amsterdam" een wedstrijd gehouden worden tegen de Haarlemsche Football-Club. Zooals men weet, had er reeds te Haarlem een "match" plaats tusschen de beide vereenigingen, welke onbeslist eindigde'. Maar – jawel – dezelfde krant rapporteert er op 4 april over als gespeeld door Rood en Wit: 'De wedstrijd, welke hier 1 April ll. gehouden is tusschen de Voetbal-Vereeniging *Amsterdam* en de Haarlemsche Cricket- en Voetbal-Vereeniging *Rood en Wit* is weder zonder beslissing afgeloopen, daar evenals te Haarlem geen enkele goal noch door Amsterdam, noch door Haarlem is gemaakt. Dank zij het schoone weder woonde een

talrijk publiek den wedstrijd bij.'[305] De kern van het Haarlemse team
bestaat in 1887-1888 uit Henri Arriëns, Pim Mulier, Kees Pleyte,
Ton van Walchren en Harry Westerveld, die alle zes wedstrijden
meedoen.[306]

Van de andere Nederlandse verenigingen speelt op 19 februari 1888
in Rotterdam op het cricketveld in Feijenoord Concordia tegen de
'Haagsche Voetbal Vereeniging' (voorheen Olympia): 1-0. Op 18
maart zijn er twee wedstrijden. In Rotterdam wint het tweede van
Concordia met 2-1 van stadgenoot Olympia; en in Amsterdam op
het Museumterrein de V.V. Amsterdam tegen Enschede, met voor
het eerst een niet-westelijke club in het wedstrijdvoetbal: 4-0.[307] Wat
opvalt: beschaafde resultaten, nog niet de korfbaluitslagen die wat
later gewoon worden, waarschijnlijk veroorzaakt door een combinatie
van aanvallende incompetentie en collectief IJzeren Rinus-achtig
verdedigingswerk in tijden van weinig regulering. De V.V.A. zal niet
voor niets bekend hebben gestaan als 'de Ruwaards'.

In het najaar van 1888 wordt begonnen met een informele competitie,
met de eerder genoemde zeven west-Nederlandse clubs. Het
Rotterdamse Concordia wordt kampioen en bevestigt zich als de
eerste grote club van het Nederlandse voetbal door op 30 maart en
9 november 1890 de eerste internationale clubwedstrijden te spelen,
tegen de Antwerp Football Club, beide keren halverwege in Breda op
een terrein bij de Chassé-kazerne.[308] En ook nog tweemaal winst, met
1-0 en 5-0.

Instituut Noorthey is dan ook weer van start gegaan, zes jaar na
de sluiting in 1882. Dan gehuisvest op het buiten Groot-Stadwijk
in Voorschoten, met uitnemende sportfaciliteiten, besluiten de
leerlingen ruim een jaar na de heropening het actieve sporten in
een georganiseerde vorm te gieten. Op 4 oktober 1889 wordt de al
gememoreerde multidisciplinaire Sportclub Noorthey opgericht,
met een voetbaltak, die speelt in het zwart en geel van de gemeente
Voorschoten. De club meldt zich aan bij de Nederlandsche Voetbal
Bond, maar speelt geen competitie.[309] De Noorthey-jongens brengen
alsnog tot stand waar het in het seizoen 1881-1882 – of vlak daarna –
niet van gekomen is, met de dramatische sluiting in het vooruitzicht.
Ze formaliseren wat ze in georganiseerde vorm (onderlinge
wedstrijden spelen) al sinds 1877-1878 doen: voetballen.

PIM MULIER IS ZOWEL PIONIER, GROOT PROPAGANDIST EN ORGANISATOR IN DE VROEGE NEDERLANDSE SPORT, ALS EEN UITERST ONBETROUWBARE GESCHIEDSCHRIJVER VOOR DE VROEGE SITUATIE IN HAARLEM, MET EEN EIGEN AGENDA, NIET WARS VAN ZELFVERHEERLIJKING EN GEHOLPEN DOOR EEN HAGIOGRAFISCHE OMGEVING

# CONCLUSIES

De geschiedschrijving van het vroege Nederlands voetbal zit vol gaten en kuilen. We hebben ze geprobeerd te beschrijven en te omzeilen. Of we daarin geslaagd zijn, is aan de lezer. In grote lijnen zijn onze bevindingen de volgende.

Het vroege voetbal – ook dat van H.F.C. – komt voort uit het cricket. Cricket wordt gespeeld vanaf augustus 1845 op jongens-kostschool Noorthey. Binnen het bewust pedagogisch gemotiveerde sportprogramma van de school wordt voetbal in de zin van 'association'-voetbal voor het eerst gespeeld in 1877-1878, onder impuls van de jonge Engelse leraar John Joseph Helsdon Rix. Het zet zich met ex-Northeyenaars voort in Amsterdam, waar het zich informeel handhaaft en rond 1885 bij de vereniging "Sport" wordt geïnstitutionaliseerd. "Sport", oorspronkelijk een cricket-vereniging, breidt zijn naam dan uit met football, op initiatief van ex-Noortheyenaar Henk Sillem en zijn gymnasiummakker Frans Waller.

Pim Mulier is zowel pionier, groot propagandist en organisator in de vroege Nederlandse sport, als een uiterst onbetrouwbare geschied-schrijver voor de vroege situatie in Haarlem, met een eigen agenda, niet wars van zelfverheerlijking en geholpen door een hagiografische omgeving. Er is geen bewijs voor de oprichting van H.F.C. in 1879, al of niet op 15 september. Bewijs is er wel, zij het met een slag om de arm, voor de H.F.C.-oprichtingsdatum van 19 december 1882.

In Haarlem is Progress de eerste, maar niet lang bestaande, cricket-club vanaf voorjaar 1880. Als een groep jongeren zich daarbij achtergesteld voelt, richten zij zelf onder leiding van Pim Mulier de cricketclub Rood en Zwart op. Deze club begint vanaf ongeveer midden 1881 rugby voetbal te spelen. Cruciale bijdragen aan dit deel van de geschiedschrijving worden geleverd door een eerder onontdekt gebleven notitie van een bestuurslid van Rood en Zwart, en een brief van directe getuige Willem van Warmelo, alias 'Lakkie' van Eeden, geschreven in 1927 en gepubliceerd in 1928 in *De Revue der Sporten*. In 1882-1883 is Mulier op handelsschool in Ramsgate. Na zijn terugkomst wordt in Haarlem, mede op grond van de door hem in Engeland opgedane kennis en het meegenomen materiaal, overgegaan op soccer-voetbal. Waarschijnlijk heeft dat vooralsnog geen vervolg, want tijdens zijn jaar op een handelsschool in Lübeck in 1884-1885 doet Rood en Wit, de grote Haarlemse cricketclub die ontstaan is uit samenvoegingen met Progress en Rood en Zwart, pogingen een eigen voetbaltak op te richten, zonder dat H.F.C. en Mulier, die sinds juli 1884 lid is van Rood en Wit, daarbij in beeld zijn.

Binnen Rood en Wit ontstaat in de loop van 1886 een 'adspiranten'-afdeling voor voetbal en het zijn cricketers van die club, inclusief Mulier, die op 21 november 1886 op De Koekamp (Haarlem) en op 19 december 1886 in het Vondelpark (Amsterdam) onder de opgepoetste naam H.F.C. de twee eerste interstedelijke voetbalmatches spelen tegen het Amsterdamse "Sport", dat vooral Engelse cricketers in de gelederen heeft, aangevuld met een aantal Nederlandse jongemannen, onder wie Frans Waller en de ex-Noortheyenaars Henk Sillem en Daan Wolterbeek. Eind 1886 functioneert H.F.C. dus als de sinds september 1884 al geplande voetbalafdeling van Rood en Wit.

"Sport" verdwijnt hierna van het toneel. Enschede is een centrum van voetbal in het oosten des lands, maar het wedstrijdvoetbal ontwikkelt zich aanvankelijk vooral in Haarlem, Den Haag, Amsterdam en Rotterdam.

De geschiedschrijving begint met Muliers *Athletiek en Voetbal* van 1894 en *Cricket* van 1897, en zowel dat werk als al het relevante werk sindsdien hebben we uitvoerig geciteerd en becommentarieerd, tegen de achtergrond van bovengenoemde schets.

# VOETNOTEN

## Inleiding

1 *Noortheysch Nieuwsblad*, nr. 1 (13 januari 1878). De editie van 16 december 1877 heet *Noortheysche Courant* en die van 20 januari 1878 *Noortheysche Weekblad*.

2 Voortaan: NA.

3 Deze voetbalactiefoto is een van een paar, vlak na elkaar genomen. De tweede is apart besproken in: Luitzen, Jan, en Wim Zonneveld. 'Actie op het veld. Een visuele benadering van negentiende-eeuwse voetbalgeschiedenis in Nederland'. In: *De Moderne Tijd* 1, nr. 1 (mei 2017): 27-50 (voortaan: 'Actie').

4 Lotsy, Karel (samenst.). *Gedenkboek ter gelegenheid van het 40-jarig bestaan van de Haarlemsche Football Club 1879-1919*. [Haarlem]: [Haarlemsche Football Club], [1920] (voortaan: *Gedenkboek H.F.C. 1919*).

5 Telefonisch interview met Daniël Rewijk op 30 maart 2017.

6 Interview met Hugo Bettink op 21 april 2017.

7 Interview met gravin van Limburg Stirum en haar zoon Roland Hugo graaf Van Limburg Stirum op 20 maart 2017.

8 Telefonisch interview met Martijn Haitsma Mulier op 30 maart 2017.

9 Horn, Nico van, '125 jaar voetbal in Nederland?' (voortaan: '125 jaar'). In: *de SPORTWERELD*, nr. 35 (december 2004), 8-14.

## Hoofdstuk I

10 Bijleveld, Willem, e.a. *Gedenkboek Noorthey, uitgegeven bij den honderdsten gedenkdag van den stichting*. Haarlem: Johannes Enschedé en Zonen, 1920 [zonder paginanummering].

11 *Noortheysch Nieuwsblad*, nr. 31, Bijblad (9 december 1877).

12 Ook de geboorteplaats van Sir Stanley Rous (1895-1986), de fameuze president van de wereldvoetbalbond FIFA (1961-1974), zie: Wikipedia: 'Stanley Rous'.

13 Hij trouwt in 1888 in Croydon bij Londen met Mary Ann Hughes. Het paar krijgt in 1889 in Noordwijk een dochter en John aanvaardt op 1 juli 1890 de positie van 'clerk' op de Amerikaanse ambassade in Den Haag. Hij is dat nog steeds bij zijn overlijden op 6 oktober 1918 in Den Haag. Genealogische gegevens van wc.rootsweb.ancestry.com, www.myheritage.nl en WieWasWie.

14 *Noortheysche Courant*, nr. 32 (16 december 1877).

15 Noorthey-leerlingen Robert Daniël 'Daan' Wolterbeek (1860-1920) en Frederik Jacob Marie van de Graaff (1868-1933).

16 *Noortheysche Weekblad*, nr. 2 (20 januari 1878).

17 Mulier, W. *Cricket*. Haarlem: De Erven Loosjes, 1897 (voortaan: *Cricket*), 121.

18 Gerard Adriaan Fontein Tuinhout, een leerling uit Harlingen, is zó verliefd is op een andere jongen, dat het hem op 17 februari 1881 tot zelfmoord drijft. Het leidt ertoe dat diverse ouders hun kinderen van Noorthey halen, zodat de kostschool aan het eind van het schooljaar 1881-1882 moet sluiten. Het is zeker geen ongeluk geweest: 'In de nabijheid van Voorschoten heeft zich de leerling F. T. der kostschool "Noorthey" van den heer Kr. op de rails van den spoorweg gelegd en werden hem hoofd en handen afgereden. Zonder twijfel moet hier aan zelfmoord gedacht worden daar de vingers van den knaap de rails omklemd hielden', aldus de *Tilburgsche Courant* (20 februari 1881). Pas in 1888 gaat Noorthey weer open.

19 *Cricket*, 86.

20 *Gedenkboek Noorthey* [zonder paginanummering].

21 Ibidem.

22 *Cricket*, 86.

23 Minimus, 'A Visit to Noorthey'. *The Educational Times* (1 November 1848).

24 Horn, Nico van. 'Terug naar school!' *de SPORTWERELD*, nr. 33 (2004), 11-13.

25 Beijnen, L.R. *Herinnering aan de feestelijke bijeenkomst op den 24sten Juni 1870, ter viering van het vijftigjarig bestaan (1820-1870)*. 's Gravenhage: H.P. de Swart en Zoon, 1870. Laurens Reijnhard Beijnen zat ruim vijf jaar op Noorthey: van 10 augustus 1823

tot 15 januari 1829.

26 In Beijnen, *Herinnering*, 52, staat Cowan vermeld als geboren op 9 juli 1822, in Ventnor op het Isle of Wight. Genealogische sites geven echter 22 juli 1822, London (zie bijvoorbeeld www.genealogieonline. nl, familie Klatt). Mogelijk heeft een rol gespeeld dat zijn vader Martin Sanderson Cowan bij zijn overlijden vermeld staat als bij leven 'soldier' en 'vintner', dat wil zeggen wijnhandelaar. Wanneer 'vintner' als 'Ventnor' wordt gelezen, is de geboorteplaatsverwarring verklaard.

27 *AH* (27 mei 1848).

28 Zie online: http://wp.ripernet.com/ buderman-pax-intrantibus-aan-de-bergweg-1614

29 Cowan publiceert een indrukwekkende reeks boeken en leergangen over Engelse taal en literatuur en in 1860 aanvaardt hij een baan als tolk voor de Britse consul-generaal in Japan. Maar zijn leven neemt daar een tragische wending: op reis naar Tokio wordt zijn schip in de Zuid-Chinese Zee overvallen door piraten en tot zinken gebracht. Hij moet bij dit drama overleden zijn rond 10 april 1861.

30 De oorspronkelijke vondst staat in *Nederlandsche Sport* (voortaan: *NS*) van 24 mei 1884, ondertekend door 'W.V.', zie Coops, Johan Willem George. *Gedenkboek uitgegeven ter gelegenheid van het vijftigjarig bestaan van den Nederlandschen Cricket Bond. 1883-30 september-1933.* Amsterdam: NCB, [1933].

31 *Utrechtsche Studenten-almanak voor het jaar 1856, 1857, 1858, 1859 en 1860.* De delen zijn in Utrecht uitgegeven door Post Uiterweer & Comp (1856, 1857 en 1858) en J.G. Broese (1859 en 1860).

32 *Cricket*, 87.

33 *Het Sportblad* 17 (voortaan *HS*), nr. 44 (4 november 1909); 'De oprichting van de "Haarlemsche Football Club" en de oertijd van het bruine monster.' In: *Gedenkboek H.F.C. 1919*, 3-13, hier: 5.

34 *Gedenkboek Cricketbond 1933*, 253.

35 '125 jaar'; Rewijk, Daniël. *Captain van jong Holland. Een biografie van Pim Mulier 1865-1954.* [Gorredijk]: Bornmeer, 2015 (voortaan: *Captain*); Dozy, G.J., *De Latijnsche school te Noordwijk-Binnen en het Instituut Schreuders.* Leiden: E.J. Brill, 1886.

36 *Gedenkboek Cricketbond 1933.*

37 Hier zijn gebruikt de *Sportalmanak 1888* (waarin gespeld wordt 'J.J. Helsdou Rik') en de *Sportalmanak 1890* (met 'Helsdon Riz'), uitgegeven door Ipenbuur & Van Seldam, Amsterdam.

38 *NS* 9, nr. 407 (17 mei 1890).

## Hoofdstuk II

39 Vonderen, Barbara van. *Deftig en ondernemend. Amsterdam 1870-1910.* Amsterdam: Meulenhoff, 2013, 182.

40 *Provinciale Overijsselsche en Zwolsche Courant* (28 juni 1871).

41 *Het Nieuws van den Dag* (voortaan: *HNvdD*) (8 mei 1875), geplaatst door W.C. van der Heyde, secretaris.

42 Bosse, Dirk, e.a. *Statuten der Amsterdamsche Cricket-Club te Amsterdam. Opgericht den 26sten Mei 1871.* [Amsterdam]: [s.n.], [1871].

43 Een aan de '*causeur* der *Amst. Ct.*' toegeschreven column verschijnt in *De Maasbode* (21 september 1875) en in *De locomotief* (11 november 1875). De schrijver houdt een pleidooi voor het invoeren van Nederlandstalige terminologie in het cricket, zoals 'balspel' voor de naam van de sport zelf (ook in de naam van de Amsterdamsche Cricket-Club, die hij noemt), 'roller' voor *bowler*, etc.; zijn vermoeden is dat 'verhollandsching' van de woordenschat de populariteit van de sport aanzienlijk zal bevorderen.

44 De geschiedenis van het ontstaan en de uitbreidingen van het Vondelpark op http:// beeldbank.amsterdam.nl/beeldbank/indeling/detail?q_searchfield=vondelpark&width=480.

45 Notulen van het bestuur van het Vondelpark digitaal op: https://archief. amsterdam/inventarissen/inventaris/352. nl.html#A33706000001. Het is niet vanzelfsprekend dat dergelijke sport- en spelverzoeken worden gehonoreerd. In de vergadering van 23 februari 1882 wijst het bestuur van het Vondelpark een verzoek van de croquetclub om 'een terrein voor haar spel' van de hand.

46 *HNvdD* (17 mei 1873) en (21 mei 1874), geplaatst door Willem van der Vies, secretaris (1873), respectievelijk Fedor C. Bunge en Willem van der Vies, commissarissen

(1874).

47  *De Tijd* (voortaan: *DT*) (2 augustus 1873):
'Het in Engeland zoo algemeen in zwang
zijnde cricket-spel schijnt ook in Nederland allengs burgerregt te zullen krijgen.
De leden eener hier gevestigde klub, welke
zich ten doel stelt dit spel te bevorderen,
zijn voornemens, om zich overmorgen, des
ochtends ten 11 uur, op een terrein nabij
Haarlem in een cricket-match te meten.' Zie
ook *De locomotief* (16 september 1873) en
(11 november 1875).

48  *AH* (17 juni 1873); met dank aan Kees van
der Waerden voor zijn inhoudelijke bijdrage
aan deze passage.

49  *HNvdD* (29 juli 1873).

50  *AH* (21 juni 1873).

51  De geschiedenis van dit gebied wordt beschreven in 'Stadspolder', online op http://
www.theobakker.net/pdf/stadspolder.pdf
(2015): 29-31.

52  *Cricket*, 89.

53  *AH* (21 februari 1876).

54  *AH* (11 april 1876).

55  https://archief.amsterdam/inventarissen/
inventaris/352.nl.html#A33706000001.

56  *De Athleet* (voortaan: *DA*) 5, nr. 17 (28 april
1897).

**Hoofdstuk III**

57  *HNvdD* (13 december 1878). Dezelfde auteur
publiceert nog een tweede versie van zijn
betoog in het eerste nummer van *Nederlandsche Sport* van maart 1882.

58  Zie Rewijk, Daniël. 'Sport voor Iedereen.
F.W.C.H. Baron Van Tuyll Van Serooskerken
en de Nederlandse Sportwereld.' *Virtus
Jaarboek voor Adelsgeschiedenis*, nr. 14
(2007), 141-156.

59  Mulier, W. *Athletiek en Voetbal*. Haarlem:
De Erven Loosjes, 1894, 9 (voortaan: *AenV*).

60  *HNvdD* (17 december 1878); over cricketac-
tiviteiten in Zeist is bij ons weten nooit
verder vernomen.

61  Zie: www.konud.nl/Site/de-club/geschiede-
nis.html.

62  *Arnhemsche Courant* (9 november 1869).

63  Zie http://stockton.play-cricket.com/
website/web_pages/183012 en https://
en.wikipedia.org/wiki/Non-international_
England_cricket_teams.

64  *Scarborough Evening News* (23 augustus
1892).

65  Geciteerd in Oltheten, Harry. *Het gebeurt
overal in den lande. De Koninklijke U.D. en
de ontwikkeling van de sport in Nederland.*
Amsterdam: Thomas Rap, 1998, 24 (voortaan: *Het gebeurt overal*), zo te zien met
aangepaste spelling.

66  Zie: http://burgers-enr.net/artikelen/fiets-
clubs/.

67  Gegevens van deze passage gebaseerd op
website WieWasWie, en op *Rotterdamsche
Courant* (19 november 1863), *Arnhemsche
Courant* (30 oktober 1869) en (9 november
1869).

68  *Scarborough Evening News* (23 augustus
1892).

69  *Geschiedenis der 's-Gravenhaagsche Cricket-
en Football-Club 1878-1898 en der Haagsche
Voetbal-Vereeniging 1883-1898*. Den Haag:
[s.n.], 1898. In: 'Archief der H.C.C. no. 309',
opgenomen in het Haagsch Gemeentarchief.

70  Stolk, J. van. 'Geschiedenis van de oprichting van de H.C.C.' In: Coops, J.W.G.,
Manen, H. van, en J.J. Koeleman (samenst.).
*Haagsche Cricketclub, 1878-1928. Ge-
denkboek ter gelegenheid van het 50-jarig
bestaan.* 's-Gravenhage: Moorman's Perio-
dieke Pers, 1928.

71  *Cricket*, 93. Pieter Romijn overlijdt op 11
februari 1901 op 85-jarige leeftijd in Den
Haag, een half jaar voor het huwelijk van
zijn zoon in Engeland.

72  *Nieuwe Rotterdamsche Courant* (voortaan:
NRC) (15 mei 1881).

73  Wedstrijdgegevens in: Neleman, Wim, en
Harry Oltheten. *Over Krikket & Cricket.
125 jaar later en 16 miljoen runs verder.*
Barendrecht: Paperware, 2008; *Cricket*,
91; *NRC* (27 en 28 augustus 1881); *AH* (29
augustus 1881); *Provinciale Drentsche en
Asser Courant* (30 augustus 1881), die zich
baseert op het verslag in het *Dagblad van
Zuid-Holland*.

74  Zie Wikipedia: 'Frans Netscher'.

**Hoofdstuk IV**

75  Paragraaf gebaseerd op *Cricket*, 82-106.

76  *HS* 17, nr. 44 (4 november 1909).

77  Mogelijk door de verhullende bewoording
mist Mulier-biograaf Daniël Rewijk in
*Captain* deze passage wanneer hij schrijft:
'[C]ricketclub Rood en Zwart [...] Er staat
niet dat hij daarvan lid was.'

78  Noord-Hollands Archief (voortaan NHA),

1736: *Jaarverslag Rood en Wit 1881-1882*. De datum correspondeert met de bestuursstukken van de vereniging in het Noord-Hollands Archief die in 1881-1882 beginnen.

79 Mulier plaatst de wedstrijd op 26 oktober, maar dat is een week mis; zie *Haarlemsch Advertentieblad* (voortaan: *HA*) (22 oktober 1881).

80 *Cricket*, 99.

81 Ibidem.

82 *Gedenkboek Cricketbond 1933*, 253.

83 NHA1736: *Jaarverslag Rood en Wit 1881-1882*.

84 *HA* (22 oktober 1881).

85 Dijkstra, O.H. 'Willem Martinus Logeman.' *Haerlem Jaarboek 1974*. Haarlem: Schuyt & Co C.V., 1975, 139-160. Verdere gegevens in deze passage gebaseerd op: Lubach, D. 'Willem Martinus Logeman', online op: http://natuurtijdschriften.nl/download?type=document&docid=561491.

86 *Rooster der Lessen te geven aan het gymnasium te Haarlem, gedurende den cursus 1879-1880, en Lijst der Boeken, die bij het onderwijs zullen gebruikt worden.* Haarlem: 1879. In: NHA1383: Rector van het Stedelijk Gymnasium te Haarlem.

87 NHA3034: Vereniging 'Weten en Werken' te Haarlem.

88 Bijvoorbeeld: *HNvdD* (30 december 1873).

89 Voor het eerst: *Rotterdamsch Nieuwsblad* (voortaan: *RN*) (18 mei 1878); ook: *Java-bode* (voortaan: *JB*) (15 tot en met 29 augustus 1879). De verdere passage over Newton-School is gebaseerd op: *JV* (1 november 1879); 'Country Advertisements.' In: *Cheshire Court Directory* (1878), 39; *Algemeen Handelsblad* (22 april 1892).

90 *Gedenkboek Cricketbond 1933*, 256.

91 'The Imperial Continental Gas Association in Nederland.' In: Lintsen, H.W. (red.), *Geschiedenis van de techniek in Nederland. De wording van een moderne samenleving 1800-1890. Deel III. Textiel. Gas, licht en elektriciteit. Bouw*. Zutphen: Walburg Pers, 1993; met verwijzing naar *Tijdschrift ter Bevordering van de Nijverheid* 4 (1837).

92 NHA: *Gekomen in de Gemeente 1880*.

93 Zahn, G.P. Jr. *De geschiedenis der verlichting in Amsterdam*. Amsterdam: Scheltema & Holkema's Boekhandel, 1911.

94 Deze bijdrage werd niet geschreven, zoals Rewijk aangeeft, door Hendrik zelf, maar door zijn zoon; zie: Booy, H.Th. de. 'Jeugdherinneringen van een oud-haarlemmer geput uit de mémories van H. de Booy.' *Haerlem Jaarboek 1967*, uitgegeven door de Vereniging Haerlem. Haarlem: De Erven F. Bohn, 1968, 58-81.

95 *AH* (5 juni 1880). Harry wordt op 12 juni 1909 genaturaliseerd, wat aangeeft dat hij tot die tijd alleen de Engelse nationaliteit zou hebben gehad, of in elk geval niet de Nederlandse; zie http://www.shgv.nl/Naturalisaties%20spi-zwi.htm.

96 Online op: http://egoproject.nl/wp-content/uploads/2015/04/Archief-de-Booij-deel-1.pdf. Hierin Hoofdstuk 13a.

97 NHA1736: Haarlemsche Cricket Club Rood en Wit te Haarlem; zie ook *Captain*, 65-66, over de discussie in 1885.

98 *Gedenkboek Cricketbond 1933*, 253.

99 *Statuten en huishoudelijk reglement van de cricketclub "Rood en Wit". Gevestigd te Haarlem, Opgericht 22 juni 1881*, 3de gewijzigde druk. Haarlem: Rood en Wit, 1891.

100 NHA1736: *Notulenboek der Cricketclub "Rood en Wit". Boek 1. 1 jan. 1882-19 juli 1884* (voortaan: *Notulenboek 1*), algemene vergadering 19 juli 1884.

101 NHA1736: *Jaarverslag Rood en Wit 1884-1885*.

102 *Cricket*, 100.

103 *Provinciale Noordbrabantsche en 's-Hertogenbossche Courant* (10 november 1876); zie ook http://www.montfortkapel.nl/montfortkapel/geschiedenis.

104 NHA1736: *Scoringboek Rood en Wit 1884*.

105 NHA1736: *Scoringboek Rood en Wit 1885*; *Haarlemsch Dagblad* (voortaan: *HD*) (26 augustus 1885).

106 NHA1736: *Scoringboek Rood en Wit 1885*.

107 *Cricket*, 131.

108 Dozy, *Latijnsche school*; *Cricket*, 131; *AH* (19 augustus 1885). NHA1736: *Scoringbook 1886*.

109 *Cricket*, 82-106.

110 *Gymnastenalmanak 1883* (jrg. 6), *1884* (jrg. 7) en *1885* (jrg. 8); *Sportalmanak 1886* (jrg. 1), *1887* (jrg. 2). Dit alles uitgegeven door Ipenbuur en Van Seldam in Amsterdam.

111 *HA* (1 oktober 1884), *HA* (21 maart 1885) en *Cricket*, 130.

112 De 'Databank Sport' van http://resources.huygens.knaw.nl/sportbondenclubsperiodieken/, met verwijzing naar *Nederlandsche*

*Sport* (3 maart 1888).

113 https://hilversumschecc.wordpress.com/;
*DT* (21 augustus 1883), en *HNvdD* (22 augustus 1883).

114 *Cricket,* 127; *HA* (8 oktober 1884).

## Hoofdstuk V

115 Luitzen, Jan, 'Gorter de sporter.' In: Liempt,
Ad van, en Jan Luitzen (red.). *Sportlegendes.
Twaalf winnaars die geschiedenis schreven.*
Amsterdam: Balans, 2012, 103-124.

116 *Sportalmanak 1886; Sportalmanak 1887.*

117 *Sportalmanak 1886.*

118 Stadsarchief Amsterdam, collectienummer
260: Scholarchen en Curatoren en Rector
van de Latijnse School, Curatoren van de
Openbare Gymnasia en van de Rector van
het Stedelijk of Barlaeusgymnasium.

119 Noordhof-Hoorn, Annelies. *De stem van
de student. Nederlandse studentenbladen in
de negentiende eeuw.* Hilversum: Verloren,
2016.

120 *Sportalmanak 1886; Sportalmanak 1887.*

121 *Sportalmanak 1886.*

122 Voor de geschiedenis en introductie in
Nederland van (het woord) *lawntennis,* zie:
Luitzen, Jan, Bollerman, Theo, en Pascal
Delheye. 'Playing on the Field of Innovation: The Impact of the Sale of Lawn Tennis
Sets in the Netherlands, 1874-1887.' *The
International Journal of the History of Sport*
32, nr. 9 (juni 2015): 1181-1204.

123 Het staat bekend als het 'Museumterrein',
nu het Museumplein. Zie voor de geschiedenis van de Algemeene Olympia-Vereeniging: Zonneveld, Wim, en Jan Luitzen.
'Weg met die "Eenzijdige Geestes-dressuur".
Opkomst en Ondergang van de Algemeene
Olympia-Vereeniging (1882–1892).' *de
SPORTWERELD,* nr. 71 (2014), 31-40.

124 *AH* (29 mei 1886).

125 *Sportalmanak 1886.*

126 *Sportalmanak 1887:* "Sport", Deuce, O.T.C.,
Nos en Amstelclub.

127 Wedstrijdgegevens gebaseerd op *Cricket,*
110-111.

128 *De Gooi- en Eemlander* (4 juli 1885).

129 Wedstrijdverslag, *NS* 5, nr. 201, 1ste Bijvoegsel (5 juni 1886).

130 *HA* (9 juni 1886).

131 NHA1736: *Notulenboek 2* (bestuursvergadering 22 juni 1886).

132 NHA1736: *Notulenboek 2* (bestuursvergade-

ring 7 april 1886).

133 Stadsarchief Amsterdam, collectienummer
53: Vereniging tot Aanleg van een Rij- en
Wandelpark Genaamd Vondelpark.

134 *AH* (18 juli 1885).

135 Waerden, Kees van der. *Toen football voetbal
werd. Taal en cultuur in het oervoetbal in
Nederland.* Nijmegen: Sylfaen, 2010; Zonneveld, Wim. 'Football wordt voetbal. De
vroegste geschiedenis van voetbalvocabulair
in het Nederlands – lexicologie, fonologie,
morfologie.' *Nederlandse Taalkunde* 18, nr.
1 (2013), 65-86.

## Hoofdstuk VI

136 '125 jaar'.

137 Kerkhoven, Marga C., en Eduard Julius
Kerkhoven. *20 Indische brieven 1860-1863,
verzameld uit de Hunderensche Courant.*
Stichting Indisch thee- en Familiearchief,
Renkum, 2010, 178.

138 Mulier als Pim Pernel, *Het Vaderland* (1
september 1940).

139 NHA1383: handgeschreven *Opgave aan den
Heer Ontvanger v/d Leerl v/h gymn. 1 sept.
1880-1900.* Gedurende het seizoen 1881-
1882 woont Pim aan de Raamsingel 22.

140 *Nieuw Nederlands Biografisch Woordenboek. Deel 3.* Online op: 3http://www.
dbnl.org/tekst/molh003nieu03_01/
molh003nieu03_01_1411.php.

141 NHA1383: *Geschiedenis van 't Gymn. te
Haarlem over de jaren 1878-1885; Fata Discipulorum 1. 1871-1881; Fata Discipulorum
2. 1881-1888.*

142 NHA1383: *Fata Discipulorum 2.*

143 Navraag bij diverse instanties in Ramsgate
en omgeving over een St. Leonard's-archief
leverde geen resultaat op. Anthony Lee van
Margate Local History mailde op 26 maart
2017: 'It is very unlikely that any records of
the kind you are looking for still exist.'

144 Volgens Van Horn, '125 jaar', heeft de privaatschool van Laurens niet lang bestaan, 'al
vóór 1891 is hij uit de adresboeken verdwenen'.

145 *HNvdD* (27 oktober 1879 en 31 mei 1880).

146 *Captain,* 56

147 Gebaseerd op passages uit *Cricket,* 107-118,
en NHA1736: *Scoringboek 1884.*

148 *Captain,* 44.

149 *Cricket,* 53.

150 '125 jaar'.

151 *Captain*, 53

152 Kertin Letz ('Dipl.-Archivarin' van het stadsarchief van Lübeck) mailde op 7 maart 2017 over de vraag naar een archief van het Handelsinstitut: 'Leider können wir Ihnen nicht mitteilen, ob und wann W. Mulier auf dem Praktischen Handelsinstitut war, da uns von dort nur die Jahresberichte überliefert sind, keine Schülerlisten. Auch eine Recherche in unserer umfassenden Datenbank führte leider zu keinem Ergebnis.'

153 Feith, Jan, 'Pim Mulier'. In: *H.F.C.Gedenkboek H.F.C. 1919*, 16-28. Over Jan Feith, zie Wikipedia: 'Jan Feith'.

154 *Scoringboek 1885*, niet aanwezig in NHA.

155 NHA1736: *Notulenboek 1* (bestuursvergadering 14 oktober 1883).

156 NHA1736: *Notulenboek der Cricketclub "Rood en Wit". Boek 2. 19 juli 1884-28 juni 1890* (voortaan: *Notulenboek 2*), algemene vergadering 1 september 1885. *AH* (20 december 1883): 2, over de oprichting van de N.C.B.; *Captain*, 67-68.

157 *Captain*, 86.

158 *Sport in Beeld/De Revue der Sporten* 30, nr. 14 (2 november 1936).

159 *Captain*, 51.

## Hoofdstuk VII

160 E.J. Poster, in *H.F.C. 110. Jubileumuitgave*. [S.l.: s.n.], [1989].

161 Hier gaat het om *Sportalmanak 1888* (jrg. 3), *1889* (jrg. 4), *1890* (jrg. 5) en *1892* (jrg. 7). Dit alles uitgegeven door Ipenbuur en Van Seldam in Amsterdam. De editie van 1891 is vooralsnog onvindbaar. Van Horn noemt in '125 jaar' alleen de *Almanak* van 1890.

162 *Gedenkboek H.F.C. 1919*, 32.

163 Wedema, Chris. *Voetbaltactiek. Een sportstudie*. Amsterdam: Strengholt, [1946]. Deze passage klinkt een stuk bescheidener dan wat Mulier er later in *Gedenkboek H.F.C. 1919* over schrijft: '[I]n Engeland [...] had ik al dat moois al van nabij gezien, kende daar tal van menschen, die mij inlichtingen verschaften, welke ik vroeg.'

164 *H.F.C. Gedenkboek 1919*, 77; *Captain*, 173.

165 Mulier plaatst hier ook zijn bezoek aan kostschool Schreuders in 1871, maar we hebben eerder al uitgemaakt dat dat 1872 moet zijn.

166 *Captain*, 265.

167 Magazine *Ons Amsterdam* online: http://

www.onsamsterdam.nl/nieuws/3261-perry-sport-al-anderhalve-eeuw-in-de-Kalver-straat.

168 '125 jaar'.

## Hoofdstuk VIII

169 Groothoff, Chris. 'Van cricket en cricketers.' *De Revue der Sporten* 18, nr. 51 (17 augustus 1925); de precieze datering van Lakkie's brief wordt door Groothoff pas veel later vrijgegeven, in 'Ik herinner mij.' *Sport in Beeld/De Revue der Sporten* 33, nr. 29 (12 februari 1940).

170 *Revue der Sporten* 21, nr. 48 (16 juli 1928).

171 Polak, Lou. 'Gesprekken om de mat. Over Lakkie de uitgekookte, een hoge leeftijd en berenverhaaltjes.' *De Waarheid* (14 augustus 1957).

172 NHA1736: *Notulenboek 2* (bestuursvergadering 11 maart 1886). Die aspirantenafdeling zou dan gerecruteerd moeten worden uit leden van de cricketclub Volharding. 'De ouderen onder hen zouden gewoon lid kunnen worden', dat wil zeggen: 17 jaar of ouder. Na overleg met het bestuur van Volharding leidt het in mei 1886 tot het opgaan van Volharding in Rood en Wit.

173 *HA* (13 oktober 1886).

174 NHA1736: *Notulenboek 2* (bestuursvergadering 30 maart 1887); NHA1736, ballotageschrift.

175 NHA, bevolkingsregister, stamkaart familie Van Eeden; NHA1736, ballotageschrift.

176 NHA1736: *Notulenboek 2* (bestuursvergadering 29 november 1884.

177 *Soerabaijasch Handelsblad* (29 juni 1906).

178 *Bataviaasch Nieuwsblad* (1 oktober 1918), (21 april 1919), (20 april 1923), *De Indische Courant* (31 maart 1923), (24 mei 1923).

179 Zie *DA* 4, nr. 17 (23 april 1896) en *AenV*.

180 NHA1736: los briefje in archiefdoos.

181 Zij komen niet voor op de compleet bijgewerkte ledenlijst in de derde druk van de *Statuten en huishoudelijk reglement van de cricketclub "Rood en Wit* uit 1891. Deze ledenlijst stamt van tien jaar na de Rood en Zwart-notitie, en gezien de nauwgezetheid en administratieve kracht van het toenmalige Rood en Wit is het waarschijnlijk dat de lijst alle leden bevat uit de voorafgaande periode.

## Hoofdstuk IX

182 *Cricket*, 99.

183 *HA* (22 oktober 1881).
184 *Verslagen Raad Haarlem 1873* en *1880*.
185 *HA* (22 oktober 1881).
186 NHA, bevolkingsregister.
187 *Gedenkboek uitgegeven ter gelegenheid van het 50-jarig bestaan der Haarlemsche cricket club "Rood en Wit", 1881-1931.* Amsterdam: De Bussy, [1931].
188 *Verslagen Raad Haarlem 1882.*
189 NHA1736: brief van burgemeester en wethouders.
190 *Verslagen Raad Haarlem 1881.* Dat 'de gemeente het grootste belang heeft bij de ongeschonden instandhouding van den Hout' blijkt ook uit: *Verslagen Raad Haarlem 1878* en *1879.*
191 Wikipedia: 'Huis ter Kleef'.
192 NHA1736: *Jaarverslag Rood en Wit 1881-1882*
193 *Verslagen Raad Haarlem 1882.*
194 NHA1736: *Jaarverslag Rood en Wit 1881-1882.*
195 NHA1736: *Jaarverslag Rood en Wit 1883-1884.*
196 En dus niet, zoals het *Gedenkboek Rood en Wit 1931*, 25, schrijft: 'Toch kwam "Rood en Wit" in 1882 in die Koekamp terecht, doordien de Heer van den Berg, die het terrein van de Gemeente in huur had, toestond aldaar te spelen.
197 *Gedenkboek Rood en Wit 1931.*
198 *Jaarverslag Rood en Wit 1886-1887* (niet aanwezig in NHA); NHA1736: *Jaarverslag Rood en Wit 1887-1888.*
199 NHA1736: *Notulenboek 2* (vergaderingen 4 en 24 februari 1888).
200 NHA1737: *Notulenboek 2* (algemene vergadering 21 februari 1885).
201 *Haarlemsch Advertentieblad* (21 maart 1885) en (25 maart 1885).
202 NHA1737: *Notulenboek 2* (bestuursvergadering 16 februari 1886).
203 '125 jaar'.
204 'Onze terreinen', in *Gedenkboek H.F.C. 1919*, 109-110.

## Hoofdstuk X
205 *HD* (21 mei 1895); *Gedenkboek H.F.C. 1919*, 70-71.
206 *Captain*, 66; een vergelijkbare aankondiging in *HA* (18 mei 1895).
207 *HD* (19 september 1904 en 20 september 1904).

208 *HD* (20 september 1904).
209 *Gedenkboek H.F.C. 1919*, 97-98.
210 Zie over deze befaamde Nederlandse voetbalfiguur: http://resources.huygens.knaw.nl/bwn1880-2000/lemmata/bwn1/lotsij.
211 *AH* (9 oktober 1919); *De Maasbode* (26 oktober 1919).
212 *NRC* (23 augustus 1929).
213 Zie over deze film: Koolhaas, Marnix. 'Mulier als acteur.' *de SPORTWERELD*, nr. 73-74 (2015), 18-24.
214 Zandbergen, Gijs. 'Een rijk, verwend ADHD-achtig nakomertje.' *de SPORTWERELD*, nr. 75 (2015), 11-12; zie ook: Zandbergen, Gijs. *Pim Mulier, ijdel maar weergaloos.* Amsterdam: Rap, 1996.
215 *Nieuwsblad van Friesland* (11 augustus 1947).
216 Groothoff, Chris. *Voetbal. Een handleiding voor het spel.* 's-Gravenhage: Koninklijken Nederlandschen Voetbalbond, 1930.
217 *Voetbaltactiek*, 43.
218 *H.F.C. Gedenkboek 1919*, 3.
219 *HD* (10 juli 1954)
220 Peereboom, Piet. *H. F. C., Haarlemsche Football Club: gedenkboek uitgegeven ter gelegenheid van het vijf en zeventig jarig bestaan. 1879, 15 september, 1954.* [Haarlem: Haarlemsche Football Club], [1954].
221 Miermans, Cees. *Voetbal in Nederland. Maatschappelijke en sportieve aspecten.* Assen: Van Gorcum & Co., 1955 (voortaan: *Voetbal in Nederland*)
222 *Voetbal in Nederland*, 85; als bronnen noemt Miermans *Athletiek en Voetbal*, de *H.F.C.-Gedenkboeken* en Wedema's *Voetbal*, waarbij hij de indruk wekt dat het laatste een onafhankelijke bron is die de andere bevestigt.

## Hoofdstuk XI
223 *AH* (14 september 1959).
224 *De Telegraaf* (7 december 1929).
225 *Haarlemsche Courant* (2 augustus 1943).
226 Tienen, Paul van, 'Het verbond van Nationaal Herstel.' Online op: https://cruyce-vanbourgonje.wordpress.com/2012/06/18/het-verbond-voor-nationaal-herstel/.
227 *Haagsche Courant* (11 december 1933); Nijland, G.J. 'Sport, Lawntennis, zwemmen, biljart', vermoedelijk afkomstig uit het tijdschrift *De Nieuwe Pers*, nr. 9 (1933), online op: http://antonieborger.nl/dnp/Dnp9/sport.

html.

228 *Het Vrije Volk* (17 september 1951).

229 *De Telegraaf* (16 juni 1954).

230 Suurendonk, Huub (eindred.). *Koninklijke Haarlemsche Football Club. 100 Jaar eigenzinnig amateur. 1879/1979.* Haarlem: Johan Enschedé en Zonen, augustus 1979; *Gedenkboek H.F.C. 110*; Rib, Rob, Stuut, Eildert, en Bert Vermeer (red.). *1879-2004. Koninklijke H.F.C. 125 jaar... good old, maar om de donder niet oud.* Haarlem: Koninklijke H.F.C., 2004.

## Hoofdstuk XII

231 NHA1736: *Notulenboek 1* (algemene vergadering 24 september 1884).

232 *Captain*, 67, op grond van gegevens in NHA1736.

233 NHA1736.

234 NHA1736: *Notulenboek 2* (algemene vergadering 29 november 1884).

235 *Het gebeurt overal*, 123-125.

236 Bruijn, K.J. de, e.a. (samenst.). *Eeuwboek der H.V.V. 1883-1893.* [S.l.: s.n.], 1983.

237 *AenV*, 171; Wikipedia: 'R.C. & F.C. Concordia'; www.voetbalarchieven.nl/clubs/olympia/.

238 *DA* 3, nr. 36 (5 september 1895), in een terugblik gebaseerd op een artikel in *Football Field and Sports Telegram* van 26 september 1885, geschreven door een Engelsman die aanwezig was bij de exhibitie in Enschede. Een uitvoerige reconstructie in: Luitzen, Jan. 'Burnley, Bernard en Boonenstokken. J.B. van Heek: voetbalpionier in Twente.' *Hard gras* 112 (februari 2017), 57-68.

239 *Cricket*, 136; *AenV*, 171; de website www.gvc-wageningen.nl/geschiedenis/, met verwijzing naar een artikel van H.S. Haas, mede-oprichter van Go Ahead, in 'het lustrumboek ter gelegenheid van het 35-jarig bestaan van GVC'; *HS* 2 (28 maart 1890); *Voetbal in Nederland*, 100, met verwijzing naar het *Gedenkboek* van v.v. Wageningen 1911-1926, en het *Gedenkboek* van v.v. Robur et Velocitas, 1882-1932.

240 *AenV*, 171.

241 Wikipedia: 'RAP (voetbalclub).'

242 Zoals bijvoorbeeld in de sectie 'Voetbal' van resources.huygens.knaw.nl.

243 *AenV*, 171, 176; http://www.voetbalarchieven.nl/clubs/excelsior-haarlem. In het *Gedenkboek H.F.C. 1919* wordt nog in een

stuk over voetbal beweerd dat 'in '83 te Haarlem de club "Excelsior" in 't leven werd geroepen'.

244 Zie: www.lacfrisia1883.nl/de-club/algemeen/geschiedenis, en: www.dfc-dordrecht.nl/2015/08/dordrechtsche-football-club-d-f-c-op-16-augustus-a-s-132-jaar/

245 *De Gooi- en Eemlander* (8 maart 1884), overgenomen uit *De Amsterdammer*; *Soerabaijasch Handelsblad* (10 oktober 1884).

246 *Soerabaijasch handelsblad* (10 oktober 1884).

247 *HNvdD* (9 september 1885).

248 *Tubantia* (14 en 18 augustus 1886); *AH* (20 augustus 1886).

249 *HNvdD* (16 en 28 september 1886), integraal overgenomen in *Tubantia* (29 september 1886). Een jaar later verschijnt eenzelfde soort brief in *HNvdD* (8 december 1887), als 'De Kaptein' van de 'Voetbal-Vereeniging Amsterdam' reageert op een Engels bericht over 'het overlijden van [e]en voetballer aan verwondingen bij het spel bekomen'.

250 'Burnley', 58-59.

251 Wikipedia: 'Lancashire Senior Cup.'

252 Molenaar, Koos (red.). *Enschedesche Footballclub Prinses Wilhelmina 1885-1985.* [S.l.: s.e.] [1889]. *Voetbal in Nederland.*

253 *RN* (7 oktober 1886) en (27 oktober 1886).

254 *HA* (13 oktober 1886), aangereikt ook door Kees van der Waerden.

255 W.H.R. van Manen, 'Twee seizoen met H.F.C.' (in *Gedenkboek H.F.C. 1919*, 63-69), en W.M[ulier], 'W.H.R. van Manen' (ibidem, 94-95). Na zijn H.F.C.-tijd werd Van Manen journalist bij de *Nieuwe Rotterdamsche Courant.*

## Hoofdstuk XIII

256 *Gedenkboek H.F.C. 1919*, 11.

257 *Gedenkboek H.F.C. 1919*, 9, 11.

258 In zijn korte verslag van deze wedstrijd in het *Gedenkboek H.F.C. 1919*, 11-12, lijkt Mulier dit probleem impliciet ook te onderkennen: zijn lijstje namen van "Sport"-spelers bevat er slechts tien, hij laat die van de Engelse speler Quill weg.

259 *AenV*, 171; *Gedenkboek H.F.C. 1919*, 12.

260 *AenV*, 170; *Gedenkboek H.F.C. 1919*, 11.

261 *Cricket*, 126.

262 Dank aan Kees van der Waerden voor het opdiepen van deze gebeurtenissen en de contemporaine beschrijvingen ervan.

263 Heijbroek, J.F. 'Waller, François Gérard (1867-1934).' In: *Biografisch Woordenboek van Nederland, digitaal te vinden op* http://resources.huygens.knaw.nl/bwn1880-2000/lemmata/bwn3/waller.

264 *HNvdD* (11 juli 1882).

265 *AH* (21 augustus 1886); *Bataviaasch Handelsblad* (27 september 1886). Frans is de zoon van Meindert Johannes Waller (1834-1924), lid en voorzitter van de Amsterdamsche Skating-club, en de eerste voorzitter (1882-1887) van de Nederlandsche Schaatsenrijders Bond.

266 SAA779: Wolf, F.D. *Die Katastrophe am Matterhorn (Am 16., 17. Und 18. August 1886.). Offizieller Rapport im Auftrage des hohen Staatsrathes vom Wallis.* Sitten: Geßler, 1886.

267 *HNvdD* (16 juli 1907).

268 *Leeuwarder Courant* (16 juli 1907); *AH* (27 juli 1907); *Provinciale Geldersche en Nijmeegsche courant* (29 juli 1907); *DT* (27 juli 1907); *HNvdD* (31 juli 1907). Wikipedia: 'Henk Sillem'.

269 *Gedenkboek H.F.C. 1919.*

270 *Gedenkboek Rood en Wit 1931*, 20, 26 en 27.

271 In het bevolkingsregister in het Noord-Hollands Archief staat Peltenburgs verblijf in Engeland niet aangetekend.

272 FC Liverpool wordt pas in 1892 opgericht.

273 Gegevens uit: Scharff, Gerard. *Familie Peltenburg. Een stamboomonderzoek.* Vught: 2006, verkregen via Ben Peltenburg. Op militieregisters.nl staat alleen de 'dag der inlijving' vermeld: 12 mei 1881. Op een schrijven van de 'Commissaris des Konings' in de provincie Noordholland, gedateerd 12 juni 1888, staat dat Theo op 12 mei 1881 is ingelijfd en dat hij op 12 mei 1885 uit dienst is ontslagen.

274 *HNvdD* (18 september 1884); *Haarlem's Advertentieblad* (24 maart 1886).

275 *Statuten en huishoudelijk reglement.*

276 *Gedenkboek H.F.C. 1919*, 30.

277 'N.V. Houthandel Peltenburg en Zonen bestaat 125 jaar.' *HD* (25 april 1952).

278 *Gedenkboek H.F.C. 1919*, 30.

279 Zie: http://www.401dutchdivas.nl/nl/sopranen/249-mia-peltenburg.html

## Hoofdstuk XIV

280 Zie: www.myheritage.nl/research/collection-90100

281 *RN* (21 november en 28 december 1894); *JB* (22 november 1894). Ook de latere minister-president Hendrik Colijn was hierbij als militair actief, zie: Bossenbroek, Martin. 'De man en zijn oorlog.', in: *Trouw* (25 april 1998).

282 *Soerabaijasch Handelsblad* (28 mei 1901); *Nieuwsblad van het Noorden* (24 mei 1919); Wikipedia: 'Kelud'.

283 NHA1736: *Jaarverslag Rood en Wit 1884-1885.*

284 *Gedenkboek H.F.C. 1919* 13; citaat aangereikt ook door Kees van der Waerden.

285 Adressenboek Haarlem, 1 januari 1887.

286 Deel van de informatie over Hayman via Louk Lapikás op www.nikhef.nl/~louk/VARIA/generation21.html.

287 *Voetbal in Nederland*, 88. Miermans dicht hier ook de Nederlandse "Sport"-speler Daan Wolterbeek 'een moeder van Engelse (!) afkomst' toe, maar verwart hem blijkbaar met Harry Westerveld.

288 *NRC* (12 juni 1928).

289 *Instituut Schreuders te Noordwijk-Binnen. I Jaarverslag over den cursus 1886-1887. II Bijdragen tot de geschiedenis der scholen te Noordwijk-Binnen.* Leiden: E.J. Brill, 1887.

290 Navraag bij Engelse kerken als de English Reformed Church en de Christ Church in Amsterdam en St. Mary's Anglican Episcopal Church in Rotterdam leverde geen aanvullende informatie op over de 'ontbrekende' Engelsen.

291 Zie Sophie 'Fiti' van Lennep op http://redeenportret.nl/portret/176fd4e8-60b8-11e2-ab7f-003048976c14.

292 Spillers beroep zoals dat staat aangegeven op zijn stamkaart in het bevolkingsregister.

293 Veel meer genealogische gegevens over de Gandon-familie op Lapikás' website www.nikhef.nl/~louk/VARIA/generation20.html.

294 Zie voor John Gandon: *The London Bicycle Club Gazette. An Official Record of the Runs, Races, and Other Doings of L.B.C.*, Volume 3. London: Darling and Son, 1880. Voor Harry Gandon: http://www.beerschot-athletic-club.be/indexkous.htm.

295 *Gedenkboek Rood en Wit 1931*, 53.

## Hoofdstuk XV

296 *AenV*, 171; *Gedenkboek H.F.C. 1919*, 12.

297 *RN* (22 en december 1886).

298 *Cricket*, 119.

299 *RN* (28 december 1886).

300 *Captain*, 67.

301 *Gedenkboek H.F.C. 1919*, 12; *NS* (12 en 19 november 1887); *HA* (19 november 1887). Net als een jaar eerder heeft de Ensche-desche Footballclub weer een 'uitvoering' tijdens het Volksfeest in het Volkspark, op 28 augustus 1887, zie: *Tubantia* (31 augustus 1887).

302 Wikipedia: 'W.A. Scholten (schip, 1874)'; *HNvdD* (25 november 1887).

303 *RN* (10 oktober, 14 en 29 november 1887); *AH* (25 december 1887); *NRC* geciteerd in de *Provinciale Drentsche en Asscher Courant* (31 december 1887).

304 *Gedenkboek H.F.C. 1919*, 38; *HD* (24 januari 1888).

305 Ibidem; *HD* (15 februari 1888); *RN* (21 februari 1888); *HNvdD* (24 februari 1888); *AH* (19 maart en 4 april 1888).

306 In de Rood en Wit-bestuursvergadering van 15 maart 1888 wordt 'eenigen tijd over footballzaken' gesproken, waarna op 21 maart 1888 in de krant voor het eerst sprake is van een (bestuurs)vergadering van H.F.C. Op 15 september 1888 houdt H.F.C. een 'algemeene jaarlijksche vergadering', zie: *HA* (21 maart 1888) en (8 september 1888). Als uitkomst van deze vergadering regelen Rood en Wit-bestuursleden Pleyte en Mulier tijdens de bestuursvergadering van 22 september 1888 de onderhuur door H.F.C. van de hele Koekamp (f 25,-), inclusief het materiaalhuisje (f 5,-), tijdens de wintermaanden, onder voorwaarde dat 'de adspiranten toegang zullen hebben op dat gedeelte, hetwelk niet door de football club wordt gebruikt'.

307 Een uitgebreid verslag in: *Tubantia* (28 maart 1888). Daarin: 'De heer W.J.H. Muller, kaptein der Haarlemsche Football-Club, was verhinderd als "referee" te fungeren.'

308 Klinkert, Wim. 'Voetbal in Breda.' In: *Jaarboek de Oranjeboom* 48 (1995); 'History by the years.'; Ook op: http://royalantwerpfc.be; en *RN* (13 november 1890).

309 'Actie', 40-42.

# DANKWOORD

Liefhebbers van sportgeschiedenis en anderen hebben bijgedragen aan het totstandkomen van deze *Hard gras*-special. Nico van Horn, aan het eind van de vorige eeuw schrijver van twee gedetailleerd onderbouwde artikelen over Mulier en het vroege H.F.C., thans gepensioneerd archiefonderzoeker bij het Koninklijk Instituut voor Taal-, Land- en Volkenkunde (KITLV), hielp ons verder met aanvullend speurwerk. Kees van der Waerden, auteur van *Toen football voetbal werd. Taal en cultuur in het oervoetbal in Nederland* (2010), heeft ons van zeer bruikbare achtergrondinformatie voorzien. Louk Lapikás puzzelde enthousiast met ons mee om genealogische gegevens boven water te krijgen.

Het archief van de Haarlemse cricketclub Rood en Wit is een van de meest complete cricketarchieven in Nederland en bevindt zich vrijwel geheel in het Noord-Hollands Archief in Haarlem. We zijn daar uitstekend geholpen bij het uitpluizen van gegevens over de begintijd van het cricket door geïnteresseerd meedenkende medewerkers. Ook de huidige bestuursvoorzitter van Rood en Wit, Huib van Walsem, was ons zeer behulpzaam bij het vinden van 'vroeg cricketmateriaal', net als vice-voorzitter Alex de la Mar en Robert Kottman, net als Van Walsem lid van de Fellowship Of Fairly Odd Places Cricket Club.

We kregen de door ons zeer gewaardeerde, onbeperkte toegang tot de archieven van de Haarlemsche Football Club en Utile Dulci en danken met name bij H.F.C. Gert-Jan Pruijn, bestuursvoorzitter, en Hugo Bettink, voorzitter van de archiefcommissie, en bij U.D. Louk Hartong, voorzitter van het Team Archiefzaken.

Verder gaat onze hartelijke dank uit naar naar Daniël Rewijk, onderzoeker bij het Mulier Instituut en biograaf van Pim Mulier, het Archief van het Kabinet van de Commissaris van de Koningin van de Provincie Noord-Holland, naar de Metropolitan Archives, London, Marc Hameleers van het Stadsarchief in Amsterdam, Otto Ottens van het Stadsarchief Kampen, Reinder Storm van de UvA-Universiteitsbibliotheek/Sector Bijzondere Collecties, Gert Jan van Rhijn (achterkleinzoon van Jaap Wolterbeek), Agnes Scholten van Aschat (kleindochter van Ernst Sillem), Evert Sillem, Kohar Sillem, Roland Sillem, Rien Buikema, Martijn Haitsma Mulier, Wilhelmina Nicolasina gravin Van Limburg Stirum-Hooft Graafland en haar zoon: mr. Roland Hugo graaf van Limburg Stirum.

**Jan Luitzen (1960)** is werkzaam bij de opleiding Sport, Management & Ondernemen (HvA) in Amsterdam en buitenpromovendus bij de onderzoeksgroep Sportgeschiedenis aan de Radboud Universiteit in Nijmegen, onder leiding van prof. Marjet Derks. Zijn onderzoek naar de introductie van de Engelse balsporten in Nederland, met als casus het jongensinstituut Noorthey – promotores: prof. Derks en prof. Nicoline van der Sijs – wordt (mede)gefinancierd uit een beurs van de Nederlandse Organisatie voor Wetenschappelijk Onderzoek (NWO). Hij publiceerde romans, sport(woorden)boeken en artikelen, onder meer in *The International Journal of the History of Sport*, *Journal of Olympic History*, *Achilles*, *de SPORTWERELD*, *Hard gras* en *De Muur*.

E-mail: j.luitzen@hva.nl.

**Wim Zonneveld (1950)** heeft als vakgebied de Engelse Taal en Cultuur (Universiteit Utrecht 1968-2014), met als specialisatie 'taalontwikkeling'. Via onderzoek naar het opnemen van Engelse leenwoorden in uiteenlopende talen kwam hij in aanraking met sportterminologie en vandaar met sportgeschiedenis. Hij publiceerde onder meer in *de SPORTWERELD*, *Het Rijwiel* (wielrennen) en *De Vriendenband* (atletiek), en draagt frequent bij aan de website www.sportgeschiedenis.nl. Hij publiceerde in maart 2017 de biografie *Klaas Pander. Het bewogen leven van een vergeten sportheld*, over de negentiende-eeuwse sporter en trainer van Jaap Eden. Samen met Jan Luitzen vormt hij de kernredactie van het sporthistorische tijdschrift *de SPORTWERELD*.

E-mail: wimzonneveld@ziggo.nl.